LEITURA, CULTURA, INFÂNCIA: LOBATO

LEITURA, CULTURA, INFÂNCIA: LOBATO

Organizadora: Norma Sandra de Almeida Ferreira

Autores: André Garcia
Cristina Bruzzo
Maria Alice Coelho
Maria das Dores Soares Maziero
Norma Sandra de Almeida Ferreira
Regina Zilberman

São Paulo
2011

© ALB – Associação de Leitura do Brasil, 2011

1ª Edição, Global Editora, São Paulo 2011

Diretor-Editorial
JEFFERSON L. ALVES

Editor-Assistente
GUSTAVO HENRIQUE TUNA

Gerente de Produção
FLÁVIO SAMUEL

Coordenadora-Editorial
DIDA BESSANA

Assistentes de Produção
EMERSON CHARLES/JEFFERSON CAMPOS

Assistente-Editorial
TATIANA F. SOUZA

Revisão
TATIANA F. SOUZA
ANA CAROLINA RIBEIRO

Foto de Capa
PAUL KLEE – "O GRUPO DOS ONZE" (1939)

Capa
ROSALIA ANGELO SCORSI

Editoração Eletrônica
LUANA ALENCAR

Dados Internacionais de Catalogação na Publicação (CIP)
(Câmara Brasileira do Livro, SP, Brasil)

Leitura, cultura, infância : Lobato / organizadora Norma Sandra de Almeida Ferreira . – São Paulo : Global, 2011. – (Coleção Leitura e formação) Vários autores. Bibliografia.

ISBN 978-85-260-1575-3

1. Lobato, Monteiro, 1882-1948 – Crítica e interpretação I. Ferreira, Norma Sandra de Almeida. II. Série.

11-05076   CDD-869.9109

Índices para catálogo sistemático:
1. Escritores brasileiros : Apreciação crítica   869.9109

Direitos Reservados
GLOBAL EDITORA E DISTRIBUIDORA LTDA.

Rua Pirapitingui, 111 – Liberdade
CEP 01508-020 – São Paulo – SP
Tel.: (11) 3277-7999 – Fax: (11) 3277-8141
e-mail: global@globaleditora.com.br
www.globaleditora.com.br

Obra atualizada conforme o **Novo Acordo Ortográfico da Língua Portuguesa**

Colabore com a produção científica e cultural.
Proibida a reprodução total ou parcial desta obra
sem a autorização do editor.

Nº de Catálogo: **3282**

LEITURA, CULTURA,
INFÂNCIA: LOBATO

SUMÁRIO

Apresentação
Norma Sandra de Almeida Ferreira 9

Monteiro Lobato e suas fases
Regina Zilberman 16

Sítio do Picapau Amarelo: da televisão ao livro?
Cristina Bruzzo 30

Os novos leitores de Lobato
Maria Alice Coelho 37

Reinações olímpicas: Mitologia grega em três obras
infantis de Monteiro Lobato
Maria das Dores Soares Maziero..43

A história que Dona Benta não contou
André Aparecido Garcia..57

Monteiro Lobato em terras portuguesas
Norma Sandra de Almeida Ferreira...................................71

APRESENTAÇÃO

Sobre o evento "Leitura, cultura, infância: Lobato"

O Fórum Desafios do Magistério – Leitura, Cultura, Infância[1], realizado em setembro de 2008, no Centro de Convenções da Universidade Estadual de Campinas (Unicamp), acolheu, como tem sido tradição nesse evento, mais de mil inscritos. Também não poderia ser diferen-

---

1   O Fórum Desafios do Magistério é um evento promovido pela Associação de Leitura do Brasil (ALB), pelo Grupo de Pesquisa Alfabetização, Leitura e Escrita (ALLE/FE) da Unicamp e pela Rede Anhanguera de Comunicação (RAC) desde 2004, no Centro de Convenções da Unicamp. Faz parte dos fóruns realizados por essa universidade em oito áreas: arte e cultura; ciência e tecnologia; desafios do magistério; empreendedorismo e inovação; ensino superior; esporte e saúde; extensão universitária; meio ambiente e sociedade (mais informações no site: http://foruns.bc.unicamp.br). Até 2009, foram realizadas 27 edições do Fórum Desafios do Magistério, com temáticas distintas envolvendo experiências e problemáticas ligadas especialmente à formação continuada do professor e à cultura escolar como um todo. Três eventos foram planejados no campo da leitura e do letramento: Alfabetização no Brasil – Questões e Provocações da Atualidade (2006), Leitura e Escola (2007) e Leitura, Cultura e Infância (2008). Os dois primeiros geraram livros já publicados, o que acontece agora também com o terceiro.

te. O evento propôs como temática três expressões fortes – leitura, cultura, infância – e um nome que as reúne sem perder seu vigor – Monteiro Lobato.

Trazer à tona a figura de José Bento Monteiro Lobato, no ano em que se comemoravam sessenta anos de sua morte, significava animar (dar alma) o imaginário cultural brasileiro. Como para mim, e muitos outros de minha geração, Lobato é um autor que nos acompanha em diferentes fases de nossas vidas como leitores: criança, mãe/pai, professor(a) e pesquisador(a), e até mesmo como avô(ó). É também um autor de quem sempre podemos falar ou escrever, sem esgotar o assunto ou ser repetitivo, contando com um público interessado em relembrar, em conhecer mais, em ver de outra forma.

Sem dúvida nenhuma, Lobato é admirado pelos diferentes papéis que ocupou no circuito do livro: autor, editor, impressor, distribuidor, livreiro, leitor. Atual em suas ideias e provocações, é considerado um dos melhores escritores de literatura infantil brasileira, editor arrojado, intelectual polêmico, brasileiro além de seu tempo. É fonte de inspiração para a criação de várias obras por outros autores brasileiros, os herdeiros de Lobato, e para o desenvolvimento de inúmeras pesquisas acadêmicas em diferentes áreas do conhecimento.

Por isso criar ligações entre Lobato e a expressão "cultura" não é nada complicado. Como sabemos, sua obra se movimenta por culturas do mundo rural e do moderno, de épocas distintas, e cruza fronteiras de países e até de planetas. Cria palavras e expressões, exercita experimentações com a linguagem, brinca com a modalidade culta da língua escrita. Rompe a barreira entre ficção e realidade, aqui e acolá, ontem e hoje. Oferece personagens identificadas com a cultura brasileira: uma espiga de milho pernosticamente intelectual, um porco glutão, um saci-pererê, um peixe enamorado de uma menina de nariz arrebitado que mora na cidade etc. A obra lobatiana transpõe culturas, linguagens, tempos e emblemas.

Seu nome é também facilmente associado a uma imagem de infância distinta daquela normalmente encontrada na produção voltada para crianças. Na literatura, suas personagens infantis são inteligentes, críticas, participativas, criativas, curiosas. Os leitores virtuais previstos em seus textos são aqueles que se interessam por uma literatura que ensina, diverte, provoca, (se) renova. Seus leitores reais são aqueles que opinam, por cartas, sobre seus enredos e personagens. Uma imagem de infância que não se opõe ao adulto, ou vice-versa. Ambos, criança e adulto, podem ser aprendizes e ensinantes, errar e acertar, ter medo e enfrentar os maiores perigos; podem, juntos, surpreender-se ou aceitar com tranquilidade personagens e cenas inusitadas. Uma infância que habita seu mundo, com seus valores, seus sonhos, sua lógica ilógica, mas que coexiste com o mundo adulto.

Falar de Lobato é ainda falar de leitura. Em suas obras, Lobato encena gestos e modos de ler, incita conversas entre leitores sobre preferências por autores e estilos diversos – didática de leitura. Fora delas, é quase um militante da formação de leitores. Coloca livros por toda parte à procura de seus leitores, cria projetos editoriais arrojados, inventa novos modos de dizer (re)inventa o conhecido, o comum. Suas obras têm sido atualizadas por leitores que as leem para novas gerações, por adaptações na televisão e no teatro, por novas edições com diferentes ilustradores – pois suas ideias e temáticas são ainda atuais no enfrentamento dos problemas contemporâneos.

Sobre os textos aqui reunidos

O Fórum Leitura, Cultura, Infância: Monteiro Lobato reuniu como palestrantes leitores privilegiados da obra lobatiana. São pesquisadores que estudam, leem, conversam sobre ele, formam novos leitores. Amantes lobatianos. Tal qual o autor que admiram e estudam, são profissionais inteiramente envolvidos com a formação de leitores, com a valorização do livro como objeto cultural que produz conhecimento individual. Profissionais que lidam diretamente ou não com questões ligadas à infância e à cultura, no Brasil.

No período da manhã, uma primeira mesa-redonda, coordenada por Ezequiel Theodoro da Silva, teve as palestras "Lobato e a formação do leitor infantil brasileiro", proferida por Marisa Lajolo, e "Por que ler e indicar a leitura do universo lobatiano na atualidade?", proferida por Regina Zilberman. Ambas ressaltaram a importância de Lobato no cenário brasileiro, com suas ideias, sua militância. Ambas destacaram a atualidade de suas obras, a força que ele ocupa no imaginário das crianças.

Segundo Lajolo, "Lobato é atual porque é bom". Ele reúne duas feições caras à cultura brasileira: a ideia de modernidade e nossas raízes rurais. É importante que Lobato seja lido pelas novas gerações para que elas se sintam participantes de uma história da leitura. É importante que ele seja conhecido como um autor que dá sentido e intensidade à reescrita dos seus textos, ao (re)escrever até a obra ganhar seu papel definitivo.

Para Zilberman, Lobato é atual pela qualidade de suas ideias, pelo seu tom atento aos problemas de sua época, problemas que até hoje mobilizam nossa sociedade. Zilberman destaca dois aspectos: Lobato criou personagens profundamente identificadas com o nosso país, de forma crítica e criativa, e teve um espírito atento para a novidade, para as mudanças tecnológicas de seu tempo. Além disso, Lobato é um dos poucos autores cuja linguagem pode migrar para outros meios – teatro, televisão, cinema –, com adaptações.

Num segundo momento do evento, à tarde, foi realizada outra mesa-redonda intitulada "A presença e o significado de Monteiro Lobato para a infância brasileira", coordenada por Norma Sandra de Almeida Ferreira. Nessa atividade, Cristina Bruzzo falou sobre "Sítio do Picapau Amarelo: da televisão ao livro?"; Maria Alice Coelho, sobre "Os novos leitores de Lobato"; e Maria das Dores Soares Maziero, sobre "Os mitos adaptados na obra lobatiana".

A palestra de Cristina Bruzzo propôs tomar a obra de Lobato como ponto de partida para discutir as adaptações audiovisuais resultantes da leitura do Sítio do Picapau Amarelo. A pesquisadora problematizou aspectos ligados à migração de um livro para uma produção audiovisual, à existência ou não da influência da linguagem audiovisual na leitura de livros impressos. Segundo ela, "o movimento entre dois meios de expressão [criação e recepção] tão distintos como a televisão e o texto literário aciona alguma comparação que trafega na ideia imprecisa de tradução: estará o original tão presente na tradução que seja dispensável sua leitura? Ou sua intenção será exatamente que o espectador se descubra como leitor adormecido?".

Para Maria Alice, a escola deve mediar o encontro, sempre necessário e gratificante, entre Lobato e os leitores. Mediação importante porque as crianças precisam conhecer e aprender a gostar do que a literatura tem de melhor: Lobato. A palestrante apresentou uma experiência pedagógica com leitura das obras lobatianas, desenvolvida em uma escola particular de Campinas. Segundo ela, na leitura e na produção de textos, os pequenos leitores não só passam a conhecer as ideias e o enredo criado pelo autor, como também se aproximam do seu modo de lidar com a linguagem, do seu estilo de criação das personagens.

Maria das Dores Soares Maziero apresentou um estudo sobre a presença de Lobato nas adaptações dos mitos gregos. Para ela, Lobato foi inovador nesse tipo de produção por quebrar o solene tom de deferência dos narradores de livros sobre mitologia produzidos para crianças. Para Lobato, qualquer herói ou heroína pode ser ridicularizado, humanizado, questionado com muito humor pelas personagens do Sítio.

Esta coletânea agrega mais dois artigos, resultados de pesquisas em que Lobato está, de certa forma, presente. No primeiro, André Garcia apresenta o livro *Orlando Furioso*, de Ludovico Ariosto, e a leitura dele feita para sua dissertação de mestrado. O pesquisador indaga sobre a imagem de leitor infantil que possa ter orientado as intervenções, de próprio punho, de Lobato presentes na edição do *Orlando Furioso* traduzida por Xavier da Cunha, pertencente ao acervo do Centro de Documentação Cultural Alexandre Eulálio (Cedae-Unicamp). Com a hipótese de que Monteiro Lobato teria a intenção de adaptar tal obra clássica universal para o público infantil, Garcia faz um estudo sobre os vestígios deixados pelo autor no texto verbal e nas ilustrações.

O último artigo, "Monteiro Lobato em terras portuguesas", foi produzido por Norma Sandra de Almeida Ferreira. Ele apresenta parte de uma pesquisa que investigou a presença de livros de literatura infantil escritos por autores brasileiros em livrarias, sebos e bibliotecas públicas na cidade de Faro, no Algarve, Portugal, no segundo semestre de 2007. A autora destaca no artigo aspectos ligados à recepção e à circulação das obras lobatianas em terras portuguesas. Será que Lobato alcançou tanto sucesso entre os leitores dos países lusófonos quanto entre as crianças brasileiras, tanto quanto o próprio Lobato parece ter desejado em uma passagem no livro *Geografia de Dona Benta*?

> No passeio principal da cidade, a Praia Grande, passaram a tarde conversando com os meninos, filhos de portugueses, que por ali brincavam. Um deles reconheceu imediatamente o pessoalzinho de Dona Benta.
> – Tu não és a tal Narizinho, neta da Senhora Dona Benta? – perguntou o guri aproximando-se.
> – Sim, sou... Como sabe?
> – Ah, é que temos aqui uma livraria que recebe os livros do Brasil e lá comprei a história das tuas reinações, e as *Caçadas de Pedrinho* e a Aritmeticazinha cá da Senhora Emilinha... Sei tudo de cor...
> – Será possível? – exclamou Narizinho, espantada e contentíssima. – Será possível que até neste fim de mundo as crianças conheçam nossas reinações?
> – Mais do que possível, menina. E se duvidas, poderei levar-te à tal livraria. Verás lá toda a coleção dos teus livros.
> E assim foi feito. O portuguesinho levou-os a uma loja da cidade onde havia todos os livros das reinações.
> – E de qual de nós você mais gosta? – perguntou Narizinho.
> – Gosto de todos – cá da senhorita Emilinha, cá do senhor Visconde de Sabugosa, do senhor Marquês de Rabicó [...].
> Emília implicou-se com o portuguesinho por causa do Tu. Depois que se separaram, ela disse à menina:
> – Viu que pedantismo? Tu para lá, tu para cá, e todo cheio de diminutivos
> – A "Senhora Emilinha", as "reinaçõezinhas"... Gente que fala Tu não me entra. Eu cá sou ali no Você.[2]

---

2   MONTEIRO LOBATO. *Geografia de Dona Benta*. São Paulo: Círculo do Livro, [s.d.], p. 170.

A citação dá o tom para o final desta Apresentação. O tom entusiasmado do narrador lobatiano sobre a circulação de seus livros por lugares distantes. O (meu) tom entusiasmado na finalização desta obra que ora apresentamos para um número maior de leitores.

Profª dra. Norma Sandra de Almeida Ferreira
Faculdade de Educação da Unicamp

Monteiro Lobato e suas fases

Regina Zilberman[1]

Nascido em 1882, Monteiro Lobato falece com 66 anos, em 1948, tendo acompanhado ao longo de sua vida adulta os principais acontecimentos da primeira metade do século XX brasileiro. Seus primeiros feitos notáveis datam de 1914, quando publicou, no jornal *O Estado de S. Paulo*, "Velha praga", artigo em que critica o comportamento predador do caipira brasileiro, rompendo com uma tradição de idealização da vida rural, desde o Romantismo tão arraigada na cultura brasileira. A partir daí, o escritor, natural de Taubaté-SP, torna-se uma figura pública, escritor de sucesso e empreendedor original, de modo que sua biografia e sua obra se transformaram, de certo modo, na síntese das opções que o Brasil oferece a seus artistas e intelectuais, bem como aos empresários nacionalistas asso-

---

[1] Professora e pesquisadora da Universidade Federal do Rio Grande do Sul (UFRGS) e da Faculdade Porto-Alegrense (FAPA).

ciados não apenas à área da cultura, mas também às da economia e da política.

À "Velha praga", de 12 de novembro de 1914, segue-se, em 23 de dezembro do mesmo ano, "Urupês", outro artigo contundente publicado no mesmo jornal, com o fito de levar adiante o debate sobre a depredação do meio ambiente desencadeada pela atitude predatória do caipira paulista. No primeiro texto, Lobato denuncia as queimadas, modo fácil, porém, prejudicial, de ocupar a terra a ser lavrada; em "Urupês", vale-se da imagem do parasita para caracterizar a indolência, a preguiça e a falta de iniciativa da população associada à vida agrícola, especialmente nas regiões pujantes no apogeu do cultivo do café, mas ao tempo de Lobato já decadentes. É quando ele cria sua primeira grande personagem, com a qual se celebrizará ainda nas primeiras décadas do século XX, o Jeca Tatu, citado no parágrafo final de "Velha praga":

> Quando se exaure a terra, o agregado muda de sítio. No lugar fica a tapera e o sapezeiro. Um ano que passe e só este atestará a sua estada ali; o mais se apaga como por encanto. A terra reabsorve os frágeis materiais da choça e, como nem sequer uma laranjeira ele plantou, nada mais lembra a passagem por ali do Manoel Peroba, do Chico Marimbondo, do Jeca Tatu ou outros sons ignaros, de dolorosa memória para a natureza circunvizinha. (MONTEIRO LOBATO, 1947b, p. 240)

Em "Urupês", provavelmente já ciente do sucesso de sua primeira incursão no tema, Lobato investe com mais segurança na definição da personagem que corporifica o caboclo, segundo ele, responsável por muitos dos males da agricultura brasileira do período. O texto chama a atenção, primeiro, para a idealização do "caboclo", espécie de "ai-jesus nacional" (MONTEIRO LOBATO, 1947a, p. 243), de acordo com suas palavras, em decorrência do "caboclismo", vertente sucessora do Indianismo na trajetória da cultura nacional. À desconstrução do mito por intermédio do sarcasmo com que trata os defensores da corrente regionalista, segue-se a caracterização do Jeca Tatu, doravante marca registrada de Monteiro Lobato e da vida brasileira:

> O caboclo continua de cócoras, a modorrar...
> Nada o esperta. Nenhuma ferroada o põe de pé. Social, como individualmente, em todos os atos da vida Jeca, antes de agir, acocora-se.

> Jeca Tatu é um piraquara do Paraíba, maravilhoso epítome de carne onde se resumem todas as características da espécie. (MONTEIRO LOBATO, 1947a, p. 244)

Os dois textos, oriundos de *O Estado de S. Paulo*, são reeditados em *Urupês*, de 1918, livro com que, de certo modo, Lobato estreia na literatura brasileira. Antes dessa obra, ele tinha publicado apenas crônicas e ficção na imprensa ou em periódicos, como a *Revista do Brasil*, e *O Saci-pererê*: resultado de um inquérito, obra, contudo, de edição limitada, patrocinada, mais uma vez, por *O Estado de S. Paulo*. No entanto, *Urupês* não é um livro de primícias literárias: em 1918, Lobato somava mais de 35 anos e já passara por algumas profissões, como as de cartunista, na juventude; de promotor, pois era bacharel em Direito, e de fazendeiro, por ter herdado, do avô, terras no interior de São Paulo.

Ao contrário do fazendeiro – que acaba por vender o legado para comprar a *Revista do Brasil*, iniciativa que dá início à sua carreira de editor –, o escritor é bem-sucedido: *Urupês* é um *best-seller*, o que leva Lobato a acreditar que o negócio dos livros era talhado para ele. Ciente de que seu êxito estava associado à personagem que criara, o escritor de certo modo incorpora a figura, com a qual assina *Ideias de Jeca Tatu*, de 1919, obra em que, na sequência de *Problema vital*, de 1918, discute questões relativas à saúde pública e à vida política brasileira em geral.

Um ano depois, em 1920, Lobato começa a mudar o rumo de sua literatura, ao publicar, por ocasião do Natal, *A menina do narizinho arrebitado*, livro de produção gráfica qualificada, com capa ilustrada e cartonada, e texto acompanhado pelos desenhos coloridos de Voltolino (1884-1926). Poder-se-ia dizer que, com o começo da nova década, encerrava-se a fase "Jeca Tatu" de Monteiro Lobato. Contudo, não se pode esquecer que, além de editar, em 1919, os contos de *Cidades mortas*, e, em 1920, os de *Negrinha*, e de reimprimir em várias e diferentes edições o *best-seller Urupês*, o escritor ainda lança, ao longo dos anos 1920, *Mundo da lua* (1923), *A onda verde* (1921), *O macaco que se fez homem* (1923), *O choque das raças*, intitulado depois O *presidente negro* (1926), e *Mister Slang e o Brasil* (1927).

A fase "Jeca Tatu" ainda renderia muitos frutos nesse período. O sucesso da personagem – ou, pelo menos, das qualidades de um tipo de ser humano, qualidades sintetizadas em seu nome – fizera que Lobato identificasse parte de sua produção literária com aquela figura paradigmática. Mas os dividendos foram maiores, quando o escritor resolve, em 1924, torná-la protagonista da narrativa *Jeca Tatuzinho*, que relata a mutação do caboclo indolente em um exitoso empreendedor rural graças à identificação da doença de que era acometido: anquilostomíase ou amarelão. Acusado o mal por um médico de passagem pela fazenda de Jeca, e receitada a medicação adequada, bem como aconselhado o uso de calçados, o caboclo e sua família transformam-se completamente, a ponto de tornarem-se exemplo a ser copiado pelos homens do campo.

Talvez o texto sucumbisse ao esquecimento, não fosse ele adquirido pelo Laboratório Fontoura, produtor do Biotônico Fontoura que, nas versões subsequentes do conto, passa a ser o remédio que cura as doenças da família dos caipiras tomados pela verminose[2].

A história passa a circular em folheto independente e fartamente ilustrado, distribuído pelo patrocinador por todo o país (teria alcançado, até 1960, a tiragem de 18 milhões de exemplares). Monteiro Lobato, que já se destacara na imprensa por suas ideias progressistas, e paulatinamente se projetava graças à sua ação editorial, converte-se, a partir da segunda metade da década de 1930, em nome conhecido, público e prestigiado. Jeca Tatu, ícone do atraso e do anacronismo nacional, metamorfoseia seu criador em celebridade midiática, posição que ocupa por algumas décadas.

A fase "Sítio do Picapau Amarelo" poderia, de um lado, ser considerada a continuação do período "Jeca Tatu", já que se trata do mesmo universo rural paulista motivado pela fazenda Buquira da in-

---

[2] No endereço http://www.miniweb.com.br/Literatura/artigos/jeca_tatu_historia1.html (acessado em 10 de janeiro de 2010), encontra-se reproduzido um anúncio em que o remédio receitado ao Jeca ainda porta o nome de Ankilostomina Fontoura.

fância de Lobato e que ele, adulto, herda e, depois, vende. Por outro lado, há diferenças radicais entre os dois mundos: Dona Benta, que compartilha com seu criador o nome,[3] é uma administradora sábia, que confere ampla liberdade aos netos Pedrinho e Narizinho e que, mesmo quando se surpreende com as inovações ou provocações de Emília, respeita as opiniões da boneca de pano, com a qual mantém discussões em pé de igualdade.

É preciso acompanhar a trajetória dos moradores do Sítio para perceber que nem sempre foi assim. Quando Lobato publica, no final de 1920, *A menina do narizinho arrebitado*, a figura principal era a personagem apontada pelo título, que vive uma aventura imaginária, no Reino das Águas Claras, equiparável ao universo maravilhoso dos contos de fadas europeus ou das modernas narrativas dirigidas ao público infantil, algumas em circulação no Brasil, como *Alice no país das maravilhas*, de Lewis Carroll (1832-1898), *O mágico de Oz*, de Frank Baum (1856-1919), ou *Peter Pan*, de James M. Barrie (1860--1937), todas protagonizadas por garotas que, por certo período de tempo, libertavam-se de seu contexto cotidiano e realista para mergulhar em outro ambiente, pautado quase exclusivamente por seres e comportamentos conduzidos pela fantasia.

Tanto quanto Jeca Tatu, Narizinho dá certo. Mas as vendas do livro dirigido ao público infantil não são apenas espontâneas, mas também induzidas: em 1921, *Narizinho Arrebitado*, livro de 181 páginas formado por *A menina do narizinho arrebitado* e mais algumas histórias inéditas, é adotado pela rede escolar paulista. São impressos 50 mil exemplares, adquiridos e distribuídos pelo governo do estado de São Paulo.[4]

---

3 Monteiro Lobato foi batizado com o nome de José Renato, chamando-se seu pai José Bento Marcondes Lobato. Teria mudado um dos prenomes ao receber do pai uma bengala onde estavam gravadas as iniciais J.B.M.L. Cf. LAJOLO, 2000, p. 12.

4 Conforme Francisco de Assis Barbosa, a tiragem somou 60 mil exemplares, "segundo os arquivos da gráfica". Cf. BARBOSA, 1982, p. 51.

O segundo grande passo editorial de Monteiro Lobato, portanto, associa-o ao Estado e, por tabela, à escola, parceria que se repete em 1922, quando são lançados *O marquês de Rabicó* e *Fábulas*, também aprovados pela Diretoria de Instrução Pública do Estado de São Paulo para uso didático. Ciente de que seus livros eram favoravelmente acolhidos pelas crianças, o escritor começa a produzi-los com regularidade anual, conferindo estabilidade ao espaço da ação de suas histórias – o Sítio do Picapau Amarelo – e ao elenco de suas personagens: os adultos Dona Benta e Tia Nastácia, as crianças Pedrinho e Narizinho, e os bonecos falantes e, cada um a seu modo, sábios Emília e Visconde de Sabugosa. Assim, lança em 1924 *A caçada da onça*, além de *O garimpeiro do Rio das Garças* (narrativa que só veio a ser republicada quando o autor organizou o volume *Histórias diversas*); em 1928, *O noivado de Narizinho*, *O Gato Félix*, *Aventuras do príncipe* e *A Cara de Coruja*; em 1929, *O irmão de Pinocchio* e *O circo de escavalinho*; em 1930, *A pena de papagaio*; e, em 1931, *O pó de pirlimpimpim*.[5]

Lobato não perde de vista, porém, a importância das adaptações, processo que, desde seu aparecimento enquanto gênero literário, garantiu à literatura infantil farto acervo de obras para leitura. Assim, em 1927, apresenta a primeira versão de *As aventuras de Hans Staden*, cujo subtítulo indica seu destino: adaptação para o público infantil de *Meu cativeiro entre os selvagens do Brasil*. De 1930 data a adaptação de *Peter Pan*, apropriando-se, nesse caso, de uma narrativa cujos direitos autorais ainda vigoravam, já que seu criador, o britânico James M. Barrie, ainda vivia. As adaptações revelar-se-ão um rico filão literário, e Lobato procede a um modo original de elaborá-las: consciente da popularidade do Sítio e de seus habitantes, o escritor faz que Dona Benta leia para seus netos narrativas famosas, porém, a seu jeito, como comenta o narrador em um de seus livros:

---

5   Os dados cronológicos foram extraídos de MERZ *et al.*, 1996.

> A moda de Dona Benta ler era boa. Lia "diferente" dos livros. Como quase todos os livros para crianças que há no Brasil são muito sem graça, cheios de termos do tempo do Onça ou só usados em Portugal, a boa velha lia traduzindo aquele português de defunto em língua do Brasil de hoje. Onde estava, por exemplo, "lume", lia "fogo"; onde estava "lareira" lia "varanda". E sempre que dava com um "botou-o" ou "comeu-o", lia "botou ele", "comeu ele" – e ficava o dobro mais interessante. (MONTEIRO LOBATO, 1956b, p. 199)

Se a fase "Sítio do Picapau Amarelo" ocupa Monteiro Lobato a partir da publicação de *A menina do narizinho arrebitado*, de 1920, até sua morte, em 1948, ela não foi sempre idêntica. Em sua primeira década, o escritor aposta em livros contendo uma única história protagonizada pelos moradores do Sítio, ocorridas de preferência nas terras de Dona Benta, visitadas por personagens vindas do exterior, fosse do mundo da fábula (figuras extraídas dos *Contos da carochinha*, que Figueiredo Pimentel [1869-1914] popularizara), da moderna literatura infantil, como Pinóquio, herói do livro de C. Collodi (1826-1890), ou dos emergentes meios de comunicação de massa, como os hollywoodianos Gato Félix, herói de histórias em quadrinhos e cartuns, Tom Mix (1880-1940) e Shirley Temple (1928-).

Na segunda década, porém, o escritor muda de tática: dedica-se à produção de livros com histórias variadas, ligadas pelas personagens, que passam de uma aventura a outra. A primeira experiência, ele a faz com seus próprios textos: em 1931, reúne as narrativas publicadas na década anterior e lança *Reinações de Narizinho*, onde se encontram não apenas os já então legendários Pedrinho, Narizinho, Emília e Visconde de Sabugosa, mas também figuras de aparecimento esporádico, como o Peninha.

O livro é outro marco na história da literatura brasileira e, mesmo em seu tempo, provoca reações controversas. Cecília Meireles (1901-1964), por exemplo, rejeita o tipo de atitude adotado pelas personagens de Lobato, criticando as crianças que elas representam. A poeta e educadora expressa sua opinião em correspondência dirigida a Fernando de Azevedo (1894-1974):

Recebi os livros de Lobato.[6] Preciso saber o endereço dele para lhe agradecer diretamente. Ele é muito engraçado, escrevendo. Mas aqueles seus personagens são tudo quanto há de mais malcriado e detestável no território da infância. De modo que eu penso que os seus livros podem divertir (tenho reparado que divertem mais os adultos que as crianças) mas acho que deseducam muito. É uma pena. [...] Por nenhuma fortuna do mundo eu assinaria um livro como os do Lobato, embora não deixe de os achar interessante. (MEIRELES, 1996, p. 229)

Clarice Lispector (1920-1977), por sua vez, tem opinião oposta, como se lê em sua crônica "Tortura e glória", de 2 de setembro de 1967, que, em 1971, é publicada como conto com o título "Felicidade clandestina", no livro de mesmo nome.[7] Nesse texto, a narradora relembra um episódio da infância, protagonizado por ela, cuja família experimentava grandes dificuldades financeiras, e uma colega, filha do proprietário de uma livraria, que acabara de receber *As reinações de Narizinho*, de Monteiro Lobato, que conforme comenta a narradora, "era um livro grosso, meu Deus, era um livro para se ficar vivendo com ele, comendo-o, dormindo-o" (LISPECTOR, 1998, p. 10).

Tanto quanto Cecília Meireles, Clarice Lispector deve ter-se deparado com as primeiras edições dos volumes de Lobato, pois relembra o livro com seu título dos anos 1930 – *As reinações de Narizinho* –, que se transformou em *Reinações de Narizinho*, sem o artigo definido feminino plural, apenas em 1947, quando o escritor organizou sua obra completa.

---

6 Por que Monteiro Lobato enviaria um exemplar de seus livros a Cecília Meireles? A escritora assinava desde 1930 a "Página da Educação", no *Diário de Notícias*, do Rio de Janeiro, em que discutia temas pedagógicos segundo a ótica da Escola Nova, tendência emergente desde os anos 1920, propalada por teóricos como Anísio Teixeira (1900-1971) e Fernando de Azevedo. Monteiro Lobato era amigo de Anísio Teixeira desde a época em que residira nos Estados Unidos, no fim dos anos 1920, podendo-se então cogitar que o pedagogo tivesse sugerido ao autor de *Reinações de Narizinho* o encaminhamento da obra a Cecília Meireles, a quem confiara pesquisa sobre leituras infantis, realizada em 1931 (em que constata a predileção das crianças por *A menina do narizinho arrebitado*). Se essas hipóteses são válidas, elas mais uma vez indicam o grande interesse de Monteiro Lobato em ver-se aceito por educadores, bem como em assistir à sua validação pelas instituições escolares e professores, a respeito da atuação de Cecília Meireles no campo da educação. Cf. NEVES *et al.*, 2001.

7 Na condição de crônica, o texto aparece também em *A descoberta do mundo*, de 1984.

Não é apenas em "Felicidade clandestina" (ou, antes, em "Tortura e glória") que a escritora apresenta esse episódio de sua adolescência. Em crônica datada de 24 de fevereiro de 1973, ela retoma aquele acontecimento, resumindo-o e, ao mesmo tempo, assegurando sua preferência por Monteiro Lobato:

> Tive várias vidas. Em outra de minhas vidas, o meu livro sagrado foi emprestado porque era muito caro: *Reinações de Narizinho*. Já contei o sacrifício de humilhações e perseveranças pelo qual passei, pois, já pronta para ler Monteiro Lobato, o livro grosso pertencia a uma menina cujo pai tinha uma livraria. A menina gorda e muito sardenta se vingara tornando-se sádica e, ao descobrir o que valeria para mim ler aquele livro, fez um jogo de "amanhã venha em casa que eu empresto". Quando eu ia, com o coração literalmente batendo de alegria, ela me dizia: "Hoje não posso emprestar, venha amanhã". Depois de cerca de um mês de venha amanhã, o que eu, embora altiva que era, recebia com humildade para que a menina não me cortasse de vez a esperança, a mãe daquele primeiro monstrinho de minha vida notou o que se passava e, um pouco horrorizada com a própria filha, deu-lhe ordens para que naquele mesmo momento me fosse emprestado o livro. Não o li de uma vez: li aos poucos, algumas páginas de cada vez para não gastar. Acho que foi o livro que me deu mais alegrias naquela vida. (LISPECTOR, 1999, p. 452)

Lobato, portanto, continuava polêmico; porém, era lido em livros consumidos independentemente de sua aprovação pelas instituições escolares que haviam distribuído largamente suas primeiras experiências com literatura infantil. Mesmo quando se dissocia do aparelho estatal vinculado ao ensino, o escritor procura manter um relacionamento seguro com a educação, caracterizado pela abordagem de assuntos disciplinares na maioria das histórias redigidas ao longo da década de 1930.

Assim, de modo indireto – como em *Viagem ao céu*, de 1932, que aborda questões relativas à astronomia – ou direto – como em *História do mundo para crianças*, de 1933, *Emília no País da Gramática*, de 1934, *Aritmética da Emília*, *Geografia de Dona Benta* e *História das invenções*, de 1935, *O poço do Visconde* e *Serões de Dona Benta*, de 1937 –, os títulos das narrativas de Monteiro Lobato dirigidas ao público infantil configuram um currículo de disciplinas provavelmente adaptável aos moldes em que se organizava o ensino brasileiro nos anos 1930, quando passava por transformações dignas de nota. Por outro lado, ainda que adequado ao ensino primário e secundário que então se estruturava, pode-se perceber que Monteiro Lobato não deixa de manifestar suas próprias posições pedagógicas e intelectuais, caracterizadas pela ênfase na ciência (astronomia, aritmética, geologia e ciências naturais), mas também pelo teor transgressivo, expresso no modo como se posiciona diante da gramática e da história, nos volumes dedicados a esses temas.

Se, desde sua fase "Jeca Tatu", o escritor já manifestava seu inconformismo diante de hábitos consolidados na vida brasileira, é na década de 1930 que esse comportamento se agudiza, aspecto verificável em sua biografia e em sua obra. Frise-se que a época não era muito apropriada para atitudes que desafiassem o autoritarismo e o *statu quo*: na combalida Europa do pós-guerra e, especialmente, depois da crise econômica decorrente da quebra da bolsa de Nova York, em 1929, governos democráticos eram derrubados e substituídos por regimes ou autoritários, como na Itália, na Espanha e em Portugal, ou francamente totalitários, como na Alemanha e na União Soviética. O Brasil não ficou atrás: o movimento conhecido como Revolução de 1930 permitiu a Getúlio Vargas (1882-1954) tomar o poder, que conservou de modo ditatorial até 1945. Se, nos primeiros anos, o presidente flertou com a constituição, prometendo eleições para os cargos executivos do Estado, após 1935, e principalmente depois de 1937, seu governo endureceu, perseguindo adversários políticos, implantando a censura e centralizando os veículos de comunicação de massa e de propaganda.

Monteiro Lobato, ao contrário de muitos artistas e intelectuais, não busca um cargo no governo, nem se exila no exterior. Além disso, não abre mão de sua veia satírica e mordaz, que aparece, por exemplo, na crítica à burocracia, em *Caçadas de Pedrinho*, de 1933, livro que, partindo do já então publicado *A caçada da onça*, de 1924, permite a Lobato divertir seus leitores com a paródia do comportamento indolente e ineficaz dos serviços prestados pela administração pública nacional. Nesse período, *Memórias da Emília* é provavelmente seu livro mais transgressor, desde as atitudes da boneca, agora autora, que duvida, já nas primeiras linhas da narrativa, da veracidade do gênero autobiográfico que escolhe, até a exposição, de modo original, de seus conceitos, como quando explica para Dona Benta o que entende por verdade: "Verdade é uma espécie de mentira bem pregada, das que ninguém desconfia. Só isso" (MONTEIRO LOBATO, 1956a, p. 5). É no mesmo livro que Emília se proclama "a Independência ou Morte!" (*ibid.*, p. 115), divisa que facilmente poderia ser transferida para seu criador.

Data do mesmo ano das *Memórias da Emília* o lançamento de outro dos livros polêmicos de Monteiro Lobato, como *O escândalo do petróleo*, obra que confere visibilidade pública à sua campanha em prol da exploração do cobiçado ouro negro em solo brasileiro. No ano seguinte, o assunto migra para a literatura infantil, fazendo de *O poço do Visconde* o livro mais programático do autor. E, se Getúlio Vargas não ouviu o apelo de Lobato, acabando por fazê-lo vítima da Lei de Segurança Nacional, o que o levou à prisão em 1941, Dona Benta deu ouvidos às crianças e bonecos, transformando o Sítio em uma região extremamente próspera e a ela mesmo em rica proprietária de terras.

Talvez se possa dizer que a terceira etapa da fase "Sítio do Picapau Amarelo" comece com *O poço do Visconde*, já que não havia como retornar à situação anterior no que diz respeito à condição das terras de Dona Benta e de seus moradores. É certo que, de um livro para outro, Lobato incorpora personagens e eventos dos volumes anteriores. Assim, o anjinho de *Viagem ao céu* permanece no Sítio até *Memórias da Emília*, não retornando em narrativas posteriores. O rinoceronte Quindim, adotado pelo grupo em *Caçadas de Pedrinho*, acompanha as histórias subsequentes, o mesmo ocorrendo com o burro Conselheiro, introduzido em *Reinações de Narizinho*.

Contudo, a partir de *O poço do Visconde*, o *status* da população do Sítio é outro: são ricos e famosos, assediados por aqueles que precisam de seu auxílio ou desejam explorá-los. Por outro lado, a situação política brasileira e internacional piorou no fim dos anos

1930: o Estado brasileiro assumiu definitivamente o perfil autoritário, a Europa viu-se dominada pelo nazismo e pelo fascismo, deu-se a anexação da Áustria e a ocupação da Tchecoslováquia pela Alemanha de Adolf Hitler (1889-1945). A invasão da Polônia pelas tropas do Reich formalizou o início da guerra entre a Alemanha e sua aliada Itália contra as democracias europeias remanescentes, representadas por França e Inglaterra.

Resta a Lobato formular ficcionalmente suas utopias, expressas nas obras que representam essa última etapa de sua fase literária. Em *O Picapau Amarelo*, de 1939, apresenta o Sítio como o espaço imaginário onde todos são acolhidos sem qualquer discriminação e onde reina a democracia igualitária presidida, de modo, digamos, parlamentarista, por Dona Benta. Em *O Minotauro*, também de 1939, o escritor coloca a liberal Dona Benta a filosofar sobre política, arte, cultura e democracia com um de seus fundadores, o ateniense Péricles (c. 495/492 a.C.-429 a.C.), celebrada figura histórica que servirá de contraponto à amarga situação dos brasileiros no período da produção do livro.

Contraposição similar entre o amargo presente que, contudo, pode ser alterado, e a expressão de uma utopia futura, que tem no passado ateniense sua inspiração, pode ser encontrada em duas obras lançadas nos primeiros anos da década de 1940. A primeira, *A chave do tamanho*, de 1942, redigida quando o confronto entre as potências do Eixo (Alemanha, Itália e Japão) e os Aliados (Inglaterra, União Soviética e Estados Unidos) não permitia prever quem venceria a guerra, narra os desacertos provocados por Emília, quando a boneca resolve interferir nos acontecimentos bélicos. E se o livro relata episódios penosos, resultantes dos prejuízos sofridos pelas personagens, ele também expõe a perspectiva pacifista do autor, pautada pela aspiração de que os mais capacitados liderem as mudanças sociais e políticas por ele consideradas essenciais.

A segunda obra é formada pela publicação, em partes, de *Os doze trabalhos de Hércules*, em 1944. Outra vez, os habitantes do Sítio – Pedrinho, Visconde e Emília – retornam no tempo e chegam à Grécia mitológica. De novo, atravessa a narrativa a ambição doutrinária de evidenciar ao leitor – que é criança ou adolescente – as virtudes da inteligência e da prática da democracia, que seria restaurada no Brasil do fim de 1945, na esteira da vitória dos exércitos aliados sobre os países adeptos de regimes autoritários e militaristas, como a Alemanha de Hitler, a Itália de Benito Mussolini (1883-1945) e o Japão do imperador Hirohito (1901-1989).

O Lobato do último livro dedicado ao público infantil talvez se distinga do escritor que, em meados da década de 1920, criou o Jeca Tatu. Dificilmente este teria algo em comum com o exemplar herói mítico que, no imaginário helênico, representou a imposição da civilização sobre a barbárie, do intelecto sobre a força bruta, do indivíduo sobre a natureza.

Contudo, o Jeca era real, e Hércules, ideal. Para mediar esses extremos, Monteiro Lobato posiciona seus pequenos heróis – frutos de sua imaginação, mas que sintetizam sua aspiração de um Brasil melhor, em particular, de um futuro mais promissor para seu país –, já que eles – assim como seus leitores, que a eles se identificariam – cresceriam e se tornariam os cidadãos de que a nação carece.

Fase a fase, Monteiro Lobato modifica-se. Mas nunca deixa para trás a perspectiva militante que se anunciava no começo de sua trajetória.

Bibliografia

BARBOSA, Francisco de Assis. Monteiro Lobato e o direito de sonhar. In: MONTEIRO LOBATO. *A menina do narizinho arrebitado*. Ed. fac-sim. São Paulo: Metal Leve, 1982.

LAJOLO, Marisa. *Monteiro Lobato*: um brasileiro sob medida. São Paulo: Moderna, 2000.

LISPECTOR, Clarice. Felicidade clandestina. In: _____. *Felicidade clandestina*. Rio de Janeiro: Rocco, 1998.

_____. O primeiro livro de cada uma de minhas vidas. In: _____. *A descoberta do mundo*. Rio de Janeiro: Rocco, 1999.

MEIRELES, Cecília. Correspondência de 9 de novembro de 1932 [a Fernando de Azevedo]. In: LAMEGO, Valéria. *A farpa na lira*: Cecília Meireles na Revolução de 30. Rio de Janeiro: Record, 1996.

MERZ, Hilda Junqueira Villela; BRANDÃO, Ana Lúcia de Oliveira; MANZANO, Sylvia; OBERG, Sílvia. *Histórico e resenhas da obra infantil de Monteiro Lobato*. São Paulo: Brasiliense, 1996.

MONTEIRO LOBATO. *Memórias da Emília*. São Paulo: Brasiliense, 1956a.

_____. *Reinações de Narizinho*. 6. ed. São Paulo: Brasiliense, 1956b.

_____. Urupês. In: _____. *Urupês*. 2. ed. São Paulo: Brasiliense, 1947a.

_____. Velha praga. In: _____. *Urupês*. 2. ed. São Paulo: Brasiliense, 1947b.

NEVES, Margarida de Souza; LÔBO, Yolanda Lima; MIGNOT, Ana Chrystina Venancia (Orgs.). *Cecília Meireles*: a poética da educação. Rio de Janeiro: Loyola; Editora PUC-Rio, 2001.

Sítio do Picapau Amarelo: da televisão ao livro?

Cristina Bruzzo[1]

Este texto resulta de uma intervenção em evento que propôs a leitura voltada para a infância como forma de homenagem e reconhecimento da permanência de Monteiro Lobato como referência de atualidade e brasilidade incontestes no que concerne à literatura infantil.

O movimento registrado por tal intervenção foi, contudo, em direção diversa, ficando a obra de Lobato como um ponto de partida, de escrita logo abandonada para tratar das produções audiovisuais resultantes de adaptações do "Sítio do Picapau Amarelo". Esse desafio foi lançado pela organização do encontro e aceito, com alguma relutância e incerteza de se poder apresentar uma reflexão à altura do tema. O texto revelará uma insistência em seguir desvios para

---

[1] Professora e pesquisadora do grupo de pesquisa OLHO, da Faculdade de Educação da Unicamp.

discorrer sobre televisão, programação infantil e sua legitimação pelo viés da educação.

A busca pelas adaptações audiovisuais disponíveis em DVD encontrou o recente lançamento da segunda versão do "Sítio do Picapau Amarelo" produzida pela Rede Globo e a TVE, em 1978: *Memórias da Emília*. Surpreende a marca de trinta anos na escolha feita entre os episódios veiculados de 1977 a 1986, sob a direção de Geraldo Casé.

Para uma produção televisiva infantil, trinta anos é muita idade. Será que as crianças de hoje serão boas espectadoras para tal produção, de ritmo e recursos televisuais pouco atuais?

De outra perspectiva, menos atinente a esse encontro, podemos nos interrogar se tal DVD seria uma pedra fundamental da história das adaptações televisivas da obra de Monteiro Lobato, talvez marcando o pioneirismo da Rede Globo e assim contribuindo para a qualificação da emissora como produtora consagrada de programas infantis "de qualidade". Nesse caso, apaga-se a primeira versão (onde andará?) produzida pela TV Tupi, que contou com 350 capítulos desde 1952. Tem-se uma questão pertinente para se pensar a história dos programas infantis feitos no país e as possibilidades de criações futuras: a qual televisão se deve voltar os realizadores para reinventar programas e linguagens?

Memória precária e pouco acessível que deixa aos jovens apenas um presente permanente nas telas. A dificuldade de acesso às produções audiovisuais televisivas e os relativamente parcos estudos que despertam diferem daquilo que se observa em relação ao cinema, cujas primeiras produções, como os desenhos clássicos dos Estúdios Disney e as peripécias de Carlitos, têm atualidade inconteste. Como pouco fica do que a televisão produz (geralmente apenas as séries mais recentes estão disponíveis em DVD), há pouco para se examinar, estudar ou inspirar quando se tem em perspectiva maiores vitalidade e inventividade na televisão brasileira.

Não menos interessante é questionar sobre a possibilidade de um consenso em relação ao que se classifica como programação infantil: será ela aquela feita para as crianças, portadora de mensagens edificantes, ou aquela geralmente acompanhada pelas crianças na convivência familiar, com os adultos, ou ainda aquela que teria a preferência das crianças caso pudessem escolher entre toda a oferta disponível, independente de qualquer seleção prévia quanto ao caráter educativo?

Geralmente os adultos acionam o controle remoto sem indagar as crianças, com base em ideias gerais que oscilam entre a adequação à necessidade educativa e de entretenimento "comportado" e as possibilidades de compartilhar o horário de fruição televisiva em família.

A necessidade de se encontrar uma programação educativa, capaz de "tranquilizar" os adultos, leva à busca por boas mensagens e atitudes de cidadania responsável e a uma difusa esperança ou acomodação de que as crianças, devidamente educadas, possam vir a construir um mundo mais justo e ecologicamente correto, diferente desse que criamos e sustentamos e no qual as recebemos. Assim, se faz uso, na televisão, do "medo ecológico", do "terror das ruas" e dos ensinamentos compactados, que respondem a essa esperança um tanto ingênua.

Desde sempre a televisão se oferece como um veículo de comunicação para a família, mas compartilhar a televisão é assistir em família à programação geralmente adulta. Como exemplo, a história da televisão registra a seguinte origem para o famoso comercial dos cobertores Parahyba, cuja música acompanhou gerações ("Já é hora de dormir, não espere mamãe mandar..."): nos anos 1950, encantadas com a televisão, as crianças relutavam em ir para a cama, o que levou diversos pais a escrever cartas para a emissora, a TV Tupi, em 1951, solicitando providências. Para atender aos reclamos o canal 3 teria adaptado seu indiozinho, o símbolo da Tupi, que aparece em determinada hora deitado em sua rede, para assinalar o momento de as crianças se recolherem. As gerações posteriores conheceram o menino de pijama, acompanhado da eterna melodia. Crianças e adultos juntos em frente ao monitor, sendo o limite para esse compartilhamento marcado pelo relógio e pela propaganda, e não pelo conteúdo exibido.

Persiste a ideia de que as crianças deveriam assistir a outros programas, de alguma maneira mais adequados. No entanto, se a televisão é "um jardim dentro de casa", "uma janela para o mundo", ou apenas mais um eletrodoméstico, algo que se comparte, como as refeições, seria possível pensar que as crianças podem realizar suas próprias escolhas na negociação doméstica do tempo de tela e que educar pode ser fornecer elementos para promover a formação do espectador.

Mas vamos voltar ao "Sítio".

O movimento entre dois meios de expressão tão distintos como a televisão e o texto literário aciona alguma comparação que trafega na ideia imprecisa de tradução: estará o original tão presente na tradução que seja dispensável sua leitura? Ou sua intenção será exatamente que o espectador se descubra como leitor adormecido?

Na televisão, Emília aparece como uma composição da boneca original acrescida daquilo que o roteiro indica e o diretor decide e, principalmente, da atuação competente da atriz que a representa nessa versão (Reny de Oliveira). É a personagem que mais se destaca, até pelo teor do episódio e pela parceria com o Visconde de Sabugosa (André Valli). Contudo, estamos no campo das imagens e a boneca vira uma pessoa, assim como a espiga de milho, um nobre. As duas caracterizações levam à redução da ambiguidade que marca essas figuras em sua forma literária, pela força da imagem que fixa um caráter definido do qual a literatura é liberta, pois cada leitor desenha em seu imaginário o que a leitura sugere.

Também se pode considerar que as crianças e jovens da atualidade, imersos na profusão de imagens que parece dominar a comunicação, podem ser alcançados apenas pelo audiovisual e que a essência da obra lobatiana, traduzida como aliança entre educação e divertimento, possa ser preservada mesmo com o abandono da leitura. Qualquer dessas alternativas contempla os pressupostos da fidelidade ao original, quase uma literalidade, da subordinação da criação imagética ao texto escrito, quase pureza a ser preservada, e da essência ou do mínimo necessário a ser garantido na obra derivada, quase condição da tradutibilidade. Em síntese, tem-se a tradução para outra linguagem como um substituto para o livro, como facilitador para se chegar à leitura, meta a ser alcançada, ou como recurso para potencializar, por meio das imagens, uma forma de educar já consagrada na literatura infantil – o que sinaliza a possibilidade de abandono dos livros por uma alternativa mais eficaz. Em todos esses casos, há um texto primeiro a ser buscado na versão audiovisual, e esse reconhecimento do original na televisão pode ser a matriz da apreciação.

Outro movimento, discordante, pode ser a busca da potencialidade do texto original para a invenção em imagens e sons, que permita encontrar na nova obra as questões atinentes a esse novo meio.

A transposição para a telinha das *Memórias da Emília* destaca a força da imaginação, a marca do contar histórias, o embaralhamento dos relatos e a solicitação da atenção do espectador. Todos esses elementos, presentes na obra literária, são acomodados no formato audiovisual. Entretanto, há duas soluções que respondem de forma bastante inventiva às possibilidades audiovisuais e às limitações da imagem: a presença da escrita e a da fala.

A redação das memórias é uma operação que combina a imaginação da Emília e o domínio da escrita pelo Visconde e acontece na biblioteca de Dona Benta, entre os livros onde moram boa parte das aventuras contadas por Emília, pela avó, leitora e contadora de histórias, e pelo próprio Visconde, devorador de livros. O papel, a caneta, a escrivaninha, a cadeira e os próprios livros ora são objetos dimensionados pelo tamanho dos atores, ora aparecem como muito maiores do que a Emília e o Visconde, tomados assim quase como boneca e sabugo. Isso se dá quando estamos imersos na fantasia dos relatos. Se outras personagens estão em cena, as crianças ou Dona Benta, as dimensões de todos ficam na ordem do humano, assim os tamanhos de Emília e Visconde aumentam e diminuem ao longo dos capítulos. É uma solução puramente visual, sem equivalente na forma escrita, na qual as memórias não são produzidas na biblioteca, mas "no quarto dos badulaques, [onde] servia de mesa um caixãozinho e de cadeira um tijolo". As ilustrações de Manoel Victor Filho para a 16ª edição, de 1973, pela editora Brasiliense, mostram o Visconde pouco maior que a caneta e Emília com o dobro do tamanho do tinteiro. Dessa vez, é a televisão que desestabiliza a imagem presente nas ilustrações que acompanham as sucessivas edições de Monteiro Lobato.

Outro momento sem equivalente na escrita é aquele em que a boneca engole a pílula falante e desanda a falar. O efeito cômico é obtido por proximidade com os efeitos das *gags* clássicas nas modalidades cômicas populares.

Quiçá mais marcante seja a presença da oralidade na versão televisiva. O contar da televisão é diferente daquele do livro, ainda que a prosa dialogada remeta à oralidade ("Deixe-me contar o resto..."; "Você, Visconde, vinha entrando, lembra-se..."). Na televisão, algumas coisas são contadas, outras apenas mencionadas e há aquelas encenadas. Assim, é na imaginação do espectador que se passam certos acontecimentos relatados em detalhes por Emília ou apenas rapidamente referidos por ela, que logo muda de assunto. Estamos em um registro próximo àquele mobilizado pela leitura.

Contar é também reinventar. Enquanto o Visconde escreve – parece que não é qualquer pessoa que pode operar a escrita literária –, Emília conta – dela é a fantasia –, mas caso ele demore para registrar o contado, ela pode alterar o relato, inventando outro percurso. Quem é o escritor, Visconde ou Emília? Será o escritor também o primeiro leitor?

Outras situações são contadas "à moda da televisão", mostradas de todos os ângulos, de longe e de perto, tornando tudo real e presente. Emília e o Visconde discutem sobre qual tempo verbal deve ser registrado no texto: Pedrinho está/ estava/ esteve com os piratas. Na imagem não há controvérsia, o menino está ou não está com os piratas.

A oralidade é o lugar da instabilidade, tão logo o acontecimento se apresenta, passa. Contudo a versão televisiva pode atualizar o relato, fixando os eventos, que com o DVD ficam imutáveis. Ainda assim, a magia do contar-ler aparece na adaptação televisiva quando o acontecido só merece rápida menção visual e a câmera demora na Emília falando e atropelando o relato.

Se a adaptação do Sítio também celebra a oralidade, não podemos esquecer que essa é a forma predominante na própria televisão, que assim se autorreferencia.

Vale perguntar qual valor atribuímos à adaptação televisiva da obra de Lobato: será que não acreditamos que as crianças possam se interessar pela leitura dos livros sem a intermediação facilitadora da televisão? Ou suspeitamos de que as crianças não se interessam pela leitura e queremos conservar, ainda que pela televisão, as mensagens educativas mais do que o valor literário do Sítio?

É possível que estejamos perdendo a versatilidade para contar e recontar, à maneira da Emília, as mesmas histórias, que acionam a magia que pode levar as crianças para os livros na busca incansável por descobertas. Será?

A televisão não pode substituir o prazer da leitura. É outro registro, cujo modo de inventar e encantar não acontece quando se pretende transferir prestígio de um meio a outro. Tal transposição, com o passar do tempo, apaga as etapas pelas quais aconteceu (como a primeira versão da Tupi) e afirma a versão mais recente e prestigiada pelo próprio veículo. Hoje tem-se a impressão de que a obra de Lobato surgiu pela Rede Globo, como indica título de matéria do jornal *Folha de S.Paulo*, em 5 de outubro de 2008 – "Teatro infantil 'importa' sucessos da TV" – e as declarações do diretor da peça *Sítio do Picapau Amarelo – O Musical*, Roberto Talma (que dirigiu o Sítio na Globo em 2001): "Hoje em dia, quanto menos risco você corre, melhor". É apostar no que já está consagrado, sem inovações e com faturamento seguro, o que se pode notar quando o repórter comenta a "abundância de montagens baseadas em grifes consagradas na televisão – só o Sítio está fora do ar atualmente".

Também Lobato está fora do ar, e quase fora dos livros, tomando ao pé da letra a intenção expressa nessa nova tradução – da televisão para teatro. Estará Lobato definitivamente em imagens?

Os novos leitores de Lobato

Maria Alice Coelho[1]

É desnecessário falar sobre a importância da obra de Monteiro Lobato para a literatura e para a formação de várias gerações de leitores

Hoje o meu assunto são os novos leitores de Lobato. Quem são eles? Será que nossas crianças ainda o leem? Será que as crianças de hoje, que vivem num mundo de tecnologia, que estão desde cedo na frente do computador, são imediatistas e práticas, gostam de ler Lobato? A resposta é sim.

Gostam e se deleitam com as histórias do Sítio e com as personagens criadas por Lobato, com as situações e experiências emocionantes que acontecem com elas em cada uma das histórias. As crianças ainda apreciam a maneira simples e livre em que se vive no

---

1 Doutora em Psicologia e Educação e Desenvolvimento pela Faculdade de Educação da Unicamp. Assessora de Língua Portuguesa, do 1º ao 5º anos do Ensino Fundamental da Escola Comunitária de Campinas.

Sítio e quando leem se sentem, como as personagens, protegidas e cuidadas no seio da casa de dona Benta.

E, para promover essa leitura, a escola tem um papel importante, fundamental.

Quando se fala de escola, como sabemos, não se trata de sugerir leituras, títulos e autores, de oferecer livros, mas de propiciar estudos literários que estimulem o exercício da mente, a percepção do real, a consciência do eu em relação ao outro, a leitura do mundo. E, se isso não for suficiente, a literatura ainda dinamiza o estudo e o conhecimento da língua (COELHO, 2000). E especialmente em Lobato, em que o imaginário se mistura com o cotidiano real, a linguagem sem rodeios cativa os jovens leitores desde a leitura das primeiras páginas.

O trabalho realizado em escolas com as obras de Lobato gera frutos que vão além de tornar nossos alunos ávidos pela leitura. Com a mediação dos professores, os alunos vão aos poucos descobrindo o homem Lobato, sua posição nacionalista, sua preocupação com o Brasil e com a preservação do meio ambiente, suas iniciativas em favor da melhoria de vida do povo brasileiro.

A leitura mediada pelo professor também possibilita a construção da argumentação crítica. E assim não é difícil para os alunos leitores de Lobato perceberem que muitas das preocupações e dos problemas apontados por ele ainda são atuais e carecem de soluções.

E a forma que Lobato narra encanta, convence e desperta, não só para a leitura, como dissemos, mas para a escrita. Os alunos, quando leem Lobato, ficam de tal forma influenciados pela maneira de contar do autor que passam a querer escrever como ele, a criar novas personagens e propor novas aventuras para o pessoal do Sítio.

Nessas possibilidades de pensar e criar outras histórias e personagens, aparecem novas Emílias que defendem o meio ambiente, são contra o tabagismo ou protagonistas de um programa de televisão.

No recorte de um texto escrito por um aluno de 5º ano, leitor de Lobato, atendendo à proposta de produção dada pela professora "Emília tinha botado na cabeça a ideia de aparecer na TV...", cartas vão e voltam, diálogos são construídos, num processo de contaminação de estilos, ideias e influências. Vejamos alguns trechos como exemplos:

TRECHO 1 (TEXTO 1)
TV Cultura,
Eu sou Emília, a personagem mais importante do Sítio do Picapau Amarelo, criada por Monteiro Lobato.
Eu, Luciana Sandroni e o ilustríssimo Visconde de Sabugosa criamos o livro *Minhas memórias de Lobato* e eu tive a brilhantíssima ideia de divulgar o livro e quero divulgá-lo aí na TV Cultura.
Os dias para a entrevista...
Muito agradecida,
Emília.

TRECHO 2 (TEXTO 1)
Senhorita Emília,
Recebemos sua carta e pensamos no assunto, sua ideia é boa. Tentamos nos comunicar com a Luciana, mas ela está com problemas pessoais e não poderá assumir a entrevista, mas confiamos em você e no ilustríssimo fidalgo Visconde de Sabugosa.
Marcamos a entrevista para o dia...
Gratos pela sugestão,
TV Cultura

TRECHO 3 (TEXTO 1)
– Eles aceitaram! Ah! Eu sabia! – Emília estava radiante com o acontecimento, isto é, com a carta.
Tia Nastácia, que ia passando e enxugando as mãos no avental, disse:
– Vixe! Essa criançada está cada vez mais louca!
No dia marcado Emília "se produziu bem chique" segundo ela com seu vestido de chita rosa de bolinhas e até colocou pó de arroz no rosto, calçou seu sapato combinando e colocou um laço de fita no cabelo.
Visconde, de terno e gravata e cartola, chamou o táxi.
Chegando no endereço da TV Cultura Emília falou:
– É aqui o lugar que me deixará famosa!!!
Visconde interveio e disse:
– Não, Emília. Aqui, se você chegar a ser famosa vai ser em relação à cultura, você será autora e não modelo...
Não é preciso dizer que aconteceram muitas discussões entre Emília e Visconde na frente das câmeras, pois a boneca não queria perder a oportunidade de ficar famosa. Coisas da Emília desse século.

A partir de outra proposta de produção, as crianças escreveram sobre a ida de personagens da história do Brasil ao Sítio, contam como elas aí chegam e as situações mirabolantes que vivem por lá. Vejamos alguns fragmentos:

TRECHO 1 (TEXTO 2)

Logo que ele partiu Dona Benta ficou muito nervosa com Emília:
– Dona Emília, quem mandou você enviar uma carta para Cabral convidando-o para vir aqui no Sítio? Nós nem estávamos preparados para receber Cabral. O pior é que você assinou em meu nome...

TRECHO 2 (TEXTO 2)

Primeiro viajaram para o Reino das Águas Claras. Lá nadaram muito e fizeram muitas coisas, mas Cabral não sabia nadar e gritava:
– Socorro!!! Estou me afogando!
– Calma, vossa cabralência! Aqui é raso – falava Emília.

Como podemos ver, o humor jorra nas ações das personagens (Cabral morrer afogado, por exemplo), no jogo criado pela esperteza de Emília e pela ingenuidade de Cabral ("Calma, aqui é raso."), nos neologismos criados de forma inusitada (só quem leu Lobato saberia que Emília criaria uma expressão muito própria para se dirigir a tão importante visita: "vossa cabralência").

TRECHO 3 (TEXTO 2)

Depois de uma caminhada cheia de explicações, chegaram a cozinha onde tia Nastácia já ia preparando alguns bolinhos de bacalhau quando ouviu:
– Por favor, Tia Nastácia, gostaria que a senhora fizesse uma comida mais brasileira para mim.
– Mas o senhor gostou tanto dos meus bolinhos que eu pensei...
– Não, não é que eu não os quero, mas já que estou aqui no Brasil e no Sítio, gostaria de comer é...
Cabral foi interrompido por Dona Benta:
– Já entendi! Nastácia, ele quer algo como feijoada, acarajé, feijão.
– É pra já! – exclamou Tia Nastácia.
Enquanto na cozinha se espalhava um cheiro de acarajé, todos conversavam sobre navegações, contavam fatos e histórias...

TRECHO 4 (TEXTO 2)

Dona Benta estava caída no chão. Nastácia deu um berro tão alto que as crianças ficaram assustadas. Foi Narizinho quem perguntou:
– Quem é você?

> – Eu sou o padre José de Anchieta.
> – Como veio parar aqui? – quis saber Emília.
> – Estava seguindo o rio que, segundo os índios se chama Piratininga, quando me perdi e vim parar aqui.
> Enquanto as crianças conversavam, dona Benta e tia Nastácia se recuperavam do susto que levaram.

Vemos neste fragmento um processo de criação muito próximo daquele exercitado por Lobato. Um processo que inclui, além de personagens históricas, outras, como as dos contos de fadas. Personagens de mundos diversos, de épocas também distintas se misturam com o pessoal do Sítio em diferentes aventuras.

> TRECHO 5 (TEXTO 2)
> Emília já começa reclamando:
> – Como pode?
> – Como pode o quê? – disse Narizinho querendo ouvir a história de Cinderela que tia Nastácia estava tentando contar.
> – Ué, a história da Cinderela não tem sentido nenhum. Onde já se viu o príncipe dançar com a Cinderela e não reconhecê-la depois?
> – É só uma história, Emília. Deixe a tia Nastácia terminar de contar.
> [...] No meio da discussão houve um pequeno desastre. Acidentalmente Emília tropeçou no sapato de Narizinho e acabou derrubando o pó de pirlimpimpim nas páginas do livro que tia Nastácia lia e...

Em um procedimento criativo bastante usual na ficção, o autor-aluno desse fragmento faz uso do pó de pirlimpimpim para que Emília possa "entrar" na narrativa e mudar ao seu modo o enredo, fazer-se protagonista da história que lê. No texto escrito pela criança, Emília ficará apaixonada pelo príncipe, mas ele permanecerá fiel à Cinderela. Por outro lado, no texto do aluno nos deparamos com outro traço de Emília, o de criticar aspectos que não correspondem à realidade no interior da história. Portanto, são dois traços marcantes em Lobato que o aluno traz para seu texto: aquele em que Emília, pelo pó de pirlimpimpim, pode entrar em uma história já bastante conhecida e tentar modificar seu final; e aquele em que Emília, enquanto leitora da obra de Lobato, torna-se crítica dos procedimentos de ficção criados pelo leitor: "Onde já se viu o príncipe dançar com a Cinderela e não reconhecê-la depois?".

Depois, mesmo sem concluir a leitura, dá para imaginar que todos as personagens do Sítio se encontram com as personagens da história de Cinderela.

Assim, ler Lobato com e para os alunos permite que eles conheçam o autor e suas obras, passem a admirá-lo, enredem-se pelos seus procedimentos criativos, ampliem sua visão de mundo, se familiarizem com culturas de outros tempos e lugares. Os alunos tornam-se conhecedores de seus gostos, sabem por que gostam tanto de ler Lobato e manifestam a intenção de continuar a lê-lo. São os novos filhos de Lobato.

FRAGMENTOS DOS DEPOIMENTOS
Maravilhoso o jeito de Monteiro Lobato escrever...
Abre a imaginação de quem lê o livro...
Acho que eu o lerei muitas outras vezes.

É por essas e outras tantas razões que devemos, como escola, ler e promover a leitura de Lobato, oferecendo aos nossos alunos o que eles merecem, isto é, o que a literatura tem de melhor: Lobato!

Bibliografia

COELHO, Nelly Novaes. *Literatura infantil*: teoria, análise, didática. São Paulo: Moderna, 2000.

Reinações olímpicas: mitologia grega em três obras infantis de Monteiro Lobato

Maria das Dores Soares Maziero[1]

Li a Ilíada e a Odisseia. Estou recheado de formas gregas, bêbedo de beleza apolínea.
Maravilhoso cinema, Homero!
Monteiro Lobato, em carta ao amigo Godofredo Rangel (1957a)

Quando o assunto é literatura para crianças no Brasil, é indiscutível a importância da obra de Monteiro Lobato, bem como a preocupação desse escritor em trazer para o universo infantil temas interessantes, sinalizando ser a criança alguém que merece ter acesso a obras divertidas e inteligentes, escritas em um estilo ao alcance de seu entendimento.

Tal processo passa pela criação de personagens e obras ligadas ao universo infantil, mas também por uma preocupação em trazer

---

[1] Doutoranda em Educação pela FE/Unicamp – grupo ALLE e professora da FACP.

para as crianças temas e conhecimentos do mundo adulto, o que pode ser visto em obras como *Geografia da Dona Benta*, *História do Mundo para as crianças* e *Dom Quixote*, entre outras.

Os mitos gregos, nesse aspecto, também mereceram a atenção de Monteiro Lobato, talvez por fazerem parte do chamado cânone ocidental. Personagens das narrativas mitológicas aparecem em três das obras infantis do escritor: *O Picapau Amarelo*, *O Minotauro* (ambas de 1939) e *Os doze trabalhos de Hércules* (edição definitiva publicada em dois volumes no ano de 1945).

Para analisar como Lobato se apropria dos mitos gregos e os transpõe para suas obras infantis, discutiremos as estratégias utilizadas por ele para apresentar deuses e heróis do mundo clássico e, portanto, adulto, a seu leitor criança, que espera aventuras das quais participem também Emília, Narizinho, Pedrinho e as demais personagens do Sítio.

A análise se centrará no modo como Lobato insere o universo da mitologia grega nas três obras infantis já citadas, especialmente no que diz respeito ao convívio das personagens do Sítio com heróis e monstros desse universo, passando pela influência que exerceu sobre o escritor, na juventude, a leitura de Homero.

Lobato leitor de Homero

Monteiro Lobato leu a *Ilíada* e a *Odisseia*, cuja autoria é atribuída ao grego Homero, em fevereiro de 1908, quando tinha 26 anos, era promotor na cidadezinha de Areias e ainda estava longe de se tornar um renomado escritor de obras infantis.

Em duas cartas dirigidas a Godofredo Rangel, datadas de 1908, Lobato informa ao amigo estar completamente envolvido pela leitura das duas obras gregas, que deixam profundas marcas na imaginação do irrequieto escritor:

CARTA 1
Areias, 3, 2, 1908

Rangel:
É provável que já me tenhas incluído entre os amigos de cruzinha na frente, e me suponhas lá pelo Lethes a disputar com Caronte. Erro. Estou mais é em Areias a ler Homero. Só agora, neste interregno de 50 dias que me separam do casamento, reentrado nesta calmaria absoluta de Areias, é que tive oportunidade e *mood* de enfrentar o incomparável Homero – e lavo a alma das feias impressões do mundo moderno com este desfile sem fim de criaturas "belas como os deuses imortais".
Que diferença de mundos! Na Grécia, a beleza; aqui, a disformidade. Aquiles lá; Quasímodo aqui. Esteticamente, que desastre foi o cristianismo com a sua insistente cultura do feio! [...]
A razão do meu silêncio está no meu andejismo. Em janeiro fiz mais de 3 mil quilômetros de trem, cavalo e navio. Andei mais que Telêmaco e se não encontrei Ulisses foi apenas porque o não procurei. [...]
Sabe de alguma tradução de Homero em português? Leio na de Leconte (sic).[2] (MONTEIRO LOBATO, 1957a, p. 207-208)

CARTA 2
Areias, 25, 2, 1908
Rangel:
[...]
Este mês de fevereiro foi o meu mês de Homero. Li a *Ilíada* e a *Odisseia*. Estou recheado de formas gregas, bêbedo de beleza apolínea. Maravilhoso cinema, Homero! Gostei muito mais da *Odisseia*. A *Ilíada* peca pelo inevitável monótono do tema – a guerra, ou, antes, o combate. De começo a fim, gregos e troianos a morrerem como insetos, enquanto lá no Olimpo os divinos pândegos puxam os cordéis e intrigam. [...] Já na *Odisseia*, o assunto é caleidoscópico e sempre empolgante. Lê-se tudo aquilo como um romance de Maupassant. Penélope é ótima. Ulisses, um divino pirata. A descida aos "campos de asfodelos" deixa ver a origem da *Divina Comédia*.
Finda a leitura, pus-me a pensar no quanto Homero influenciou e influencia ainda hoje o pensamento ocidental. Na linguagem corrente, quanto Homero, meu Deus! "Fulano é meu mentor", "o teu calcanhar de Aquiles", "astuto como Ulisses", a "teia de Penélope", os "encantamentos de Circe", "entre Sila e Caribdes". (MONTEIRO LOBATO, 1957a, p. 207-208)

---

2 Charles Marie René Leconte de Lisle, poeta parnasiano francês (1818-1894). Além de poemas, publicou várias traduções de autores clássicos gregos.

A leitura dessas duas cartas nos mostra um Lobato encantado pelo universo da mitologia grega, bem como a admiração profunda que ele manifesta pela cultura grega, descrita como exemplo de beleza e perfeição, o oposto da "disformidade" encontrada no "mundo moderno".

Homero, para ele, é "incomparável"; apenas o uso do substantivo *mood*, em inglês, aponta que para ter acesso a esse mundo "empolgante", é necessário ter também disposição e ânimo para encarar a leitura de suas obras – não tão fácil assim, supõe-se.

Pode-se perceber que Lobato estabelece uma clara oposição entre o mundo grego e o nosso: lá, o mundo do paganismo, marcado pela cultura da beleza, com "criaturas belas 'como os deuses imortais'", com heróis de "beleza apolínea" – referência ao deus Apolo – e fortes e viris como Aquiles, da *Ilíada*; aqui, o mundo moderno e cristão, segundo ele caracterizado pela "cultura do feio", pela "disformidade", de que seria exemplo a figura de Quasímodo, o Corcunda de Notre Dame, criação do escritor francês Victor Hugo.

De modo bem-humorado, Lobato mergulha o amigo Rangel nas referências ao mundo grego. Ao brincar a respeito do longo tempo que ficou sem dar notícias, cita o rio Letes e o barqueiro Caronte, referências ao reino de Hades, isto é, o mundo dos mortos para os gregos. Para justificar sua demora em mandar notícias, explica que a causa de seu silêncio é o seu "andejismo", fazendo mais uma vez uma comparação com elementos da *Odisseia* que acabara de ler: andou mais que Telêmaco em busca de seu pai Ulisses ou Odisseu, o qual demorou vinte anos para retornar a Ítaca, após o fim da Guerra de Troia.

Na segunda carta, datada de 25 de fevereiro, Lobato informa ao amigo já haver terminado a leitura das duas epopeias, e no seu jeito de trazer para o cotidiano as referências ao que era lido nos livros, diz que para ele Homero é "puro cinema". Na carta ele não chega a explicar melhor o que o leva a tal conclusão, mas podemos imaginar o que ele pudesse ver de cinematográfico nas obras homéricas: aventura, ação, beleza, elementos que ele encontra na *Odisseia*. Pena que Lobato não tenha vivido para ver as megaproduções norte-americanas da *Odisseia* (1997), com Armand Assante vivendo o "divino pirata" Ulisses e *Troia* (2004), com Brad Pitt no papel de Aquiles.

Na conclusão da carta, Lobato comenta com Rangel, pode-se dizer que com certo didatismo, sobre o quanto Homero tem influenciado a cultura ocidental. Para provar essa afirmação, cita várias expressões usadas até hoje e que tiveram origem nas obras homéricas: calcanhar de Aquiles, teia de Penélope, encanto de Circe, entre outras.

Por essas duas cartas, é possível perceber que Lobato via a Grécia de modo idealizado: um espaço mítico marcado pela busca da beleza e da perfeição. É como se aquele tivesse sido um tempo mágico, em que a humanidade alcançara certo grau de refinamento que, na modernidade, houvesse se perdido.

Tal é a visão que ainda pode ser vista quando Lobato traz para suas obras infantis os heróis, deuses e monstros da Grécia antiga, conforme se verá na breve análise das obras feita a seguir.

Deuses, heróis e monstros da mitologia grega na obra infantil de Monteiro Lobato

Em 1920, Lobato publica sua primeira obra para crianças, o famoso *A menina do narizinho arrebitado*, mas é apenas em 1939, 31 anos após aquela primeira leitura da *Odisseia* e da *Ilíada*, que ele vai explorar o universo das narrativas mitológicas gregas em uma obra dedicada ao público infantil: trata-se de *O Picapau Amarelo*.

Antes de Lobato, as aventuras de um outro herói mitológico já haviam sido apresentadas ao público infantil brasileiro: *O velocino de ouro*, que conta as aventuras de Jasão, numa adaptação feita por Arnaldo de Oliveira Barreto para a coleção Biblioteca Infantil Melhoramentos, em 1915 (MAZIERO, 2006), portanto cinco anos antes da publicação de *A menina do narizinho arrebitado*.

É grande, no entanto, a diferença entre o estilo de Arnaldo de Oliveira Barreto contar as aventuras de Jasão em busca da lã de ouro de um carneiro fantástico e o modo como Lobato apresenta a seus leitores os heróis, deuses e monstros da mitologia grega.

Barreto reconta as peripécias vividas por Jasão em um estilo sóbrio, com vocabulário refinado, próprio da modalidade culta da norma escrita, em que transparece a preocupação de apresentar bons exemplos para o público que o lê – o escolar –, conforme se pode observar no fragmento a seguir, em que é narrado o momento em que Jasão se depara, pela primeira vez, com o velocino de ouro:

> Scintillando, na veneravel floresta, via-se um fulgor extranho, não semelhante aos pallidos raios da lua, mas aos doirados raios do sol nascente. Procedia de um objecto que parecia suspenso, approximadamente, á altura de um homem, um pouco mais adiante, no coração da floresta.[3]
> (BARRETO, 1915, p. 50)

Diferentemente de Barreto, Lobato imprime às aventuras que cria a sua marca: ele faz mais do que apenas recontar o enredo já conhecido das narrativas mitológicas. Ao trazer heróis, deuses e monstros da mitologia grega para suas obras, Lobato não apenas traduz ou adapta para o público infantil aquilo que é considerado clássico: ele cria uma obra nova, incorporando as personagens do Sítio – e a criança leitora – às aventuras narradas, atualizando-as, em um vocabulário mais próximo da oralidade, capaz de encantar e divertir as crianças ainda nos dias de hoje.

A análise de como Monteiro Lobato realiza esses procedimentos em suas obras nas quais aparecem personagens da mitologia grega é o que se buscará a seguir.

O Picapau Amarelo

O Picapau Amarelo, de 1939, conta a vinda das personagens do mundo da fábula para terras vizinhas ao Sítio – compradas por

---

[3] Transcrito segundo as regras ortográficas vigentes no ano de publicação.

Dona Benta – para onde se mudam, entre outros, Branca de Neve e os sete anões, o Pequeno Polegar, o príncipe Condadade das *Mil e uma noites* e, quem nos interessa mais de perto, Belerofonte e a Quimera, Pégaso, Medusa, Cupido e outras personagens da fábula grega, que passam a ocupar um bairro especial, bem no extremo das Terras Novas – o Bairro Grego:

> A novidade maior foi a chegada dos personagens da mitologia grega – uma quantidade enorme! A Medusa, com aquêles cabelos de cobra – cada fio uma cobra, e atrás dela o valente Perseu que lhe cortou a cabeça. O rei Midas, que só cuidava de amontoar ouro e acabou se enjoando. Os centauros, meio homens meio cavalos; e os faunos de chifrinhos; e os sátiros de pés de bode; e as sereias; e as ninfas, e as náiadas, que eram as ninfas das águas. (MONTEIRO LOBATO, 1957c, p. 22)

Nessa obra, do mesmo modo como fazia com as personagens dos contos de fadas, da literatura ou da história, Lobato coloca a turma do Sítio interagindo com as personagens da mitologia grega. Assim, vemos o Visconde voando no cavalo alado Pégaso, Emília tomando o arco e flecha do Cupido emprestado a fim de fazer que Branca de Neve e o Príncipe Condadade se apaixonassem e se casassem, bem como o herói Belerofonte comendo bolinhos da Tia Nastácia enquanto conta suas aventuras aos meninos:

> FRAGMENTO 1
> [...] De que "mitologia" era aquele monstro? Há muitas mitologias, isto é, coleção de fábulas – uma para cada civilização. Há a mitologia grega, *a mais rica de todas*. (MONTEIRO LOBATO, 1957c, p. 43 – *grifo* nosso)
>
> FRAGMENTO 2
> Os meninos não largavam o herói Belerofonte.
> Era a primeira vez que viam diante de si um herói dos tempos heróicos da Grécia – sim, porque a Grécia teve tempos heróicos antes de ter tempos iguais aos de todos os outros países.
> Nesses tempos heróicos tudo lá eram maravilhas – deuses e semideuses, ninfas e faunos pelas florestas, náiades e tritões nas águas, silfos nos ares. O tremendo Hércules andava realizando aquêles prodígios denominados "Os Doze Trabalhos de Hércules", cada qual mais assombroso.
> *Ah, a Grécia foi a verdadeira juventude da Imaginação Humana. Depois da Grécia essa imaginação foi ficando adulta e sem graça – lerda.* Nunca mais teve o poder de criar maravilhas verdadeiramente maravilhosas.

Aquêle herói Belerofonte, por exemplo...
– Senhor herói – murmurou Emília, plantando-se-lhe na frente –, conte-nos um pedaço da sua vida, que deve ser uma beleza...
Era tão formoso o herói que todos não tiravam dele os olhos – até Tia Nastácia o espiava lá da copa, de minuto em minuto. *Perto dos gregos antigos, as gentes de hoje parecem verdadeiras corujas.* (MONTEIRO LOBATO, 1957c, p. 66-67 – *grifos* nossos)

Nos fragmentos 1 e 2 é possível observar o velho fascínio de Lobato pelo mundo grego; para ele, a Grécia "foi a verdadeira juventude da imaginação humana", a única capaz de criar "maravilhas verdadeiramente maravilhosas". Há, também, a contraposição da beleza dos gregos à feiura das gentes de hoje, "verdadeiras corujas", o que nos remete às cartas enviadas a Rangel por Lobato, aos 26 anos de idade.

Mas, como onde tem monstros sempre acaba havendo surpresas, durante o casamento de Branca de Neve com o príncipe Condadade a festa é invadida por monstros fabulosos das narrativas gregas – a Hidra de Lerna, o gigante Briareu, os Ciclopes e outras feras – ofendidos com o fato de o príncipe não os ter convidado para a festa. Na confusão que se forma com a chegada de tais seres, a turma do Sítio consegue escapar, menos a pobre Tia Nastácia – ocupada na cozinha com a preparação dos quitutes – que termina sendo raptada pelos monstros. Para resgatá-la, todos, inclusive Dona Benta, vão até a Grécia antiga.

O Picapau Amarelo marca a estreia dos monstros, deuses e heróis da mitologia grega em uma obra infantil de Lobato, devendo-se registrar a preferência explícita do escritor pela mitologia e cultura gregas – para ele superiores – conforme se vê no fragmento 1.

Quanto à queixa manifestada por Lobato no fragmento 2, de que a imaginação humana, depois da Grécia "foi ficando adulta e sem graça – lerda", ela parece pouco verdadeira quando observamos a criatividade do escritor ao juntar personagens de tradições literárias e culturais tão distintas – os da mitologia grega com os dos contos de fadas – inclusive casando a europeia Branca de Neve, personagem de um conto dos Irmãos Grimm, com o oriental príncipe Condadade, personagem das *Mil e uma noites.*

O Minotauro

A obra que conta o resgate de Tia Nastácia é *O Minotauro*, lançado também em 1939, constituindo-se, de certa forma, em continuação de *O Picapau Amarelo*. Após a invasão da festa de casamento do príncipe Condadade com Branca de Neve, a turma do Sítio embarca para a Grécia antiga a bordo do Beija-Flor-das-Ondas – navio do terrível Capitão Gancho – contando também com a ajuda do pó de pirlimpimpim. Lá, Dona Benta e Narizinho decidem ficar em Atenas, hospedadas na casa de Péricles,[4] enquanto Visconde, Pedrinho e Emília vão em busca da querida Tia Nastácia, que eles descobrem estar aprisionada no Labirinto do Minotauro.

Em *O Minotauro*, há referência à mitologia grega já no título, e a participação das personagens do Sítio é mais ativa ainda. Eles vão até o Olimpo, onde observam os deuses, disfarçando-se como arbustos para não serem descobertos e, imagine só, se deliciam experimentando ambrosia e néctar, comida e bebida dos deuses.

Para o imaginoso Lobato, o néctar é uma espécie de mel perfeito, enquanto a ambrosia nada mais é do que um curau extremamente delicioso:

> O Visconde tomou o vidro e o pires e lá se foi, pé ante pé, para a nuvem-copa. Diante da geladeira executou as ordens recebidas – néctar no vidrinho e um bom pedaço de ambrosia no pires. E, olhando para todos os lados voltou, no maior dos ressabiamentos.
> Mal se reuniu aos companheiros, Emília quase lhe arrancou das mãos as duas preciosidades. Cheirou o vidrinho e provou o conteúdo na ponta do dedo.
> – Ah, era o que eu pensava! Mel dos deuses – mas um mel mil vezes mais gostoso que o das abelhas. Não enjoa, não é doce demais. Prove, Pedrinho. Veja que suco...
> Tomou o pires, cheirou o alimento dos deuses, provou-o com a ponta da língua e fez cara de quem procura lembrar-se duma semelhança. Por fim exclamou:

---

[4] Estrategista e estadista romano ateniense. Governou Atenas entre 443 e 429 a.C. Cf. Grande Enciclopédia Larousse Cultural, 1988, p. 4632.

> — Curau de milho verde, Pedrinho! Curau do bom — mas muito melhor do que o de Tia Nastácia. Prove...
> Pedrinho tirou uma dedada e levou-a à boca. Seus olhos se arregalaram.
> — Sim, curau, não há dúvida. Mas que curau, Emília! Gostosíssimo — e tirou outra dedada. (MONTEIRO LOBATO, 1957b, p. 124)

Impossível não se divertir com o modo irreverente e inusitado como Lobato descreve a vida no Olimpo; imaginar que lá exista uma geladeira onde a ambrosia e o néctar eram guardados é ao mesmo tempo criativo e prosaico. Sem contar o uso de expressões típicas da oralidade, como "tirar uma dedada", e de gírias da época — "um suco", que Emília usa para se referir ao sabor superior do néctar.

Nessa linha de participação das personagens do Sítio na aventura, depois de muitas peripécias eles encontram Tia Nastácia no Labirinto do Minotauro mas, ao contrário do que ocorre no mito grego, não é Teseu quem mata o monstro. Este, aliás, nem precisa ser morto porque de tanto comer os bolinhos de Tia Nastácia já está tão gordo que nem consegue se levantar mais de seu trono.

Assim, o que Lobato faz aqui não é a tradução nem mesmo a mera adaptação, isto é, contar de forma simplificada e ligeira uma história já conhecida. Ele cria uma obra nova, mantendo os pontos mais importantes da narrativa mítica — no caso do Minotauro, o labirinto, o fio de Ariadne —, porém incluindo aventuras e acontecimentos alheios a ela, introduzindo até mesmo elementos de humor e adequando os fatos narrados às características e personalidades de cada personagem do Sítio. Emília faz o papel de Ariadne, pois como já sabia a história, se preveniu levando os carretéis de linha, de modo que ela e Pedrinho não se perdessem no labirinto.

Em *O Minotauro*, portanto, a busca do leitor por aventura é suprida por uma história repleta de monstros, heróis e acontecimentos surpreendentes vivenciados pelas personagens do Sítio, que transporta a criança leitora — que com elas se identifica — para o universo do faz de conta.

Os doze trabalhos de Hércules

Em 1944, Lobato publica sua última obra com personagens da mitologia grega: trata-se de *Os doze trabalhos de Hércules*, que fora inicialmente publicado como uma série de doze pequenos livros independentes (TIN, 2008, p. 474), reunidos para a edição definitiva em dois volumes.

Nessa obra, em que vão ser narradas as batalhas de Hércules para cumprir os doze trabalhos que lhe são impostos pelo rei Euristeu a mando de Hera, esposa ciumenta de Zeus, a interferência das personagens do Sítio é mais decisiva ainda: sem a ajuda de Pedrinho, Emília e do Visconde, o herói – bem pouco inteligente na versão lobatiana – não conseguiria cumprir nem mesmo o primeiro dos doze trabalhos.

> – Dê uma idéia, Emília! – gritou Pedrinho. Se o não ajudarmos com uma boa lembrança, lá se vai o nosso querido Hércules.
> Emília pensou rapidamente: "se as flechas falharam e se a clava se despedaçou ao primeiro golpe, o jeito agora é atracar-se ao pescoço do leão e afogá-lo". Pensou e gritou para Hércules:
> – Atraque-se com êle, Senhor Hércules! Grude-se no pescoço do leão e vá apertando até que êle morra de falta de ar. O leão é invulnerável e inamassável, mas talvez não seja inasfixiável...
> Novamente Hércules ouviu aquilo como se fôsse uma sugestão do céu, e bobamente ergueu os olhos para as nuvens, como agradecimento. (MONTEIRO LOBATO, 1957d, p. 24-26)

Nessa obra, como nas anteriores, Emília e Pedrinho assumem papel de destaque; o herói é batizado de Lelé por Emília, que passa a andar sobre o ombro do fortão, fazendo o papel de cérebro, de quem toma as decisões, já que Lobato deixa claro que o herói tem apenas músculos e força bruta, mas pouco intelecto.

Assim, os trabalhos de Hércules acabam sendo os trabalhos de Emília e Pedrinho, com o auxílio do Visconde. Quanto a Narizinho, a menina não participa dessa aventura porque precisou ficar fazendo companhia a Dona Benta, que não andava boa do reumatismo.

Para ilustrar essa completa integração das personagens do Sítio à trama, Emília consegue até mesmo se indispor com a poderosa e vingativa Hera, que por ter sido chamada de "bisca" pela boneca, acaba cassando sua voz, deixando-a completamente muda.

Numa prova do que se afirmou anteriormente, isto é, que sem as personagens do Sítio Hércules não conseguiria realizar nenhum de seus trabalhos, o herói suspende a conquista do cinto de Hipólita, rainha das amazonas, só para resolver o caso da misteriosa mudez de Emília, que "era a alma do bando. Sem Emília ninguém se arrumava – além de que só ela possuía o segredo mágico do 'faz de conta', esse supremo recurso das ocasiões de grande perigo" (MONTEIRO LOBATO, 1957d, p. 88-89).

Em *Os doze trabalhos de Hércules* há também a presença dos elementos das obras anteriormente analisadas, que são também os da obra lobatiana como um todo: estrutura narrativa dinâmica e cheia de aventuras, interferência e participação das personagens do Sítio nas aventuras narradas, linguagem coloquial próxima ao universo linguístico da criança, além da presença de humor.

Segundo Tin, a importância de *Os doze trabalhos de Hércules* dentro do conjunto da obra de Monteiro Lobato é ainda maior, porque

> *Os doze trabalhos de Hércules* é a obra de encerramento da epopeia do Sítio do Picapau Amarelo. Surge como o livro de arremate de toda a saga. [...] Aqui encontramos ainda referências a aventuras anteriores, como *O Minotauro* e *Reinações de Narizinho*, por exemplo, que fazem com que o Hércules funcione como a grande chave de ouro da epopeia infantil lobatiana: é com a epopeia dos doze trabalhos de Hércules que Lobato fecha a epopeia do Sítio do Picapau Amarelo. E é com o aprendizado de Hércules que dá o arremate ao projeto pedagógico lobatiano: a educação é que faz as criaturas. (TIN, 2008, p. 484)

Considerações finais: a marca de Lobato

Finalizando, pode-se dizer que há um discurso que legitima os mitos gregos como parte da formação cultural da criança: Monteiro Lobato incorporou esse legado a algumas de suas obras infantis.

A concepção do leitor-criança que orienta a produção de Lobato é a de um ser esperto, vivo e questionador – como Emília – fazendo que *O Picapau Amarelo*, *O Minotauro* e *Os doze trabalhos de Hércules* continuem a ser lidos, constituindo-se ainda em um dos modos de aproximar o leitor infantil do universo da cultura e dos mitos gregos.

O modo como os deuses, heróis e monstros da mitologia grega são apresentados ao leitor não é diferente daquele que pode ser considerado o diferencial de Lobato: aventuras narradas de forma viva, dinâmica e bem-humorada, numa linguagem simples e adequada ao leitor infantil da época, que é transportado para o interior da narrativa por meio da identificação com as personagens do Sítio, exemplos da representação da criança pensada pelo escritor – um ser inteligente, criativo e participativo.

O Lobato leitor de Homero e admirador declarado da cultura grega espantava-se, em suas cartas de 1908 ao amigo Rangel, com a enorme influência exercida pela Grécia sobre a formação do pensamento ocidental. Certamente ele não tinha como saber a influência que suas obras, inclusive as três aqui analisadas, iriam exercer sobre tantas gerações de leitores, que pela leitura puderam voar com Pégaso, entrar no labirinto para derrotar o Minotauro e ainda realizar os doze trabalhos de Hércules, da mesma forma que outros puderam, em Homero, derrotar com Ulisses as sereias, as feiticeiras e os ciclopes.

Bibliografia

BARRETO, Arnaldo de Oliveira. *O vellocino de ouro*. São Paulo: Melhoramentos, 1915.

GRANDE Enciclopédia Larousse Cultural. São Paulo: Círculo do Livro, 1988. v. 23.

MAZIERO, Maria das Dores Soares. *Mitos gregos na literatura infantil*: que Olimpo é esse? 2006. Dissertação (Mestrado) – Faculdade de Educação, Universidade Estadual de Campinas, Campinas, 2006. Disponível em: <http://libdigi.unicamp.br/document/?code=vtls000379626>. Acesso em: 15 jan. 2010.

MONTEIRO LOBATO. *A barca de Gleyre*. 8. ed. São Paulo: Brasiliense, 1957a. v. 1.

_____. *O Minotauro*. São Paulo: Brasiliense, 1957b.

_____. *O Picapau Amarelo*. São Paulo: Brasiliense, 1957c.

_____. *Os doze trabalhos de Hércules*. São Paulo: Brasiliense, 1957d.

TIN, Emerson. "O 13º trabalho de Lobato". In: LAJOLO, Marisa; CECCANTINI, João Luís (Orgs.). *Monteiro Lobato livro a livro*: obra infantil. São Paulo: Editora Unesp: Imprensa Oficial do Estado de São Paulo, 2008.

A história que Dona Benta não contou[1]

André Aparecido Garcia[2]

Considerações iniciais

Tudo começou quando um dia,

> Emília estava na sala de Dona Benta, mexendo nos livros. Seu gosto era descobrir novidades – livros de figura. Mas, como fosse muito pequenina, só alcançava os da prateleira de baixo. Para alcançar os da segunda, tinha de trepar numa cadeira. E os da terceira e quarta, esses ela via com os olhos e lambia com a testa. Por isso mesmo eram os que mais a interessavam. Sobretudo uns enormes. (MONTEIRO LOBATO, 1964, p. 10)

---

1 Este artigo é parte da dissertação de mestrado *Orlando Furioso de Lobato*: uma obra inconclusa, apresentada em 2010 sob orientação da profª Norma Sandra de Almeida Ferreira, do grupo ALLE/FE-Unicamp.
2 Doutorando em Educação pela FE/Unicamp – Grupo ALLE.

Até que, depois de muito esforço, escada, cabo de vassoura e orientações do visconde, *Brolorotachabum!* – o livrão, o clássico *Dom Quixote*, de Miguel de Cervantes, despencou lá de cima, arrastando em sua queda a escada, Emília e o cabo de vassoura, tudo bem em cima do pobre Visconde.

Passado o susto, as coisas arrumadas... Dona Benta começa a ler a história do engenhoso fidalgo da Mancha, as aventuras do cavaleiro andante:

> – Em certa aldeia da Mancha (que é um pedaço da Espanha), vivia um fidalgo, aí duns cinquenta anos, dos que têm lança atrás da porta, adarga antiga, isto é, escudo de couro, e cachorro magro no quintal – cachorro de caça. (MONTEIRO LOBATO, 1964, p. 14)

Paralelamente à narração de Dona Benta, os ouvintes do Sítio (Tia Nastácia, Visconde, Narizinho, Pedrinho e Emília) começam a questionar, a discutir sobre a linguagem usada por Cervantes, especialmente os termos de maior complexidade para o entendimento deles.

No momento de apresentação da personagem Dom Quixote, Dona Benta o descreve como um leitor de Cavalaria. Pedrinho rapidamente interfere na narrativa e revela seus conhecimentos sobre o mundo da Cavalaria:

> – Depois das Cruzadas, a gente da Europa ficou de cabeça tonta e com mania de guerrear. Os fidalgos andavam vestidos de armaduras de ferro, capacete na cabeça e escudo no braço, com grandes lanças e espadas. Montavam em cavalos que eles diziam ser corcéis e saíam pelo mundo espetando gente, abrindo mouros pelo meio com espadas medonhas. As proezas que faziam eram de arrepiar os cabelos. Já li a história de Carlos Magno e os Doze Pares de França... (MONTEIRO LOBATO, 1964, p. 15)

A intervenção de Pedrinho traz à memória de Dona Benta a história de outro cavaleiro andante:

> Depois de lermos o Dom Quixote havemos de procurar o *Orlando furioso*, do célebre poeta italiano Ariosto – e vocês vão ver que coisa tremenda eram os tais cavaleiros andantes". (MONTEIRO LOBATO, 1964, p. 16)

Essa promessa de Dona Benta é a primeira e única referência a respeito de uma possível adaptação do *Orlando Furioso* para os ouvintes do Sítio do Picapau Amarelo. Outras obras foram publicadas por Monteiro Lobato, mas não *Orlando Furioso*. Em 1948, Lobato falece, deixando os ouvintes do Sítio sem conhecer a história de Orlando, guerreiro cristão e sobrinho de Carlos Magno, que chega à loucura por amor à bela Angélica, princesa oriental; tampouco a de Rogério, jovem guerreiro muçulmano, criado pelo velho mago Atlante em um palácio posto no cume de montanhas altíssimas e namorado da jovem guerreira cristã Bradamante.

Das gavetas e dos armários para as mãos do arquivista

De acordo com nota informativa, presente especificamente no arquivo Monteiro Lobato e na biblioteca Lobatiana localizada no Centro de Documentação Cultural Alexandre Eulálio (Cedae-Unicamp), em maio de 1999, a prof^a dra. Marisa P. Lajolo dirigiu-se ao referido Centro de Documentação para propor a realização de um evento em torno das comemorações pelos cinquenta anos da morte do escritor José Bento Monteiro Lobato.

O evento teve a presença dos herdeiros de Monteiro Lobato (sra. Joyce Lobato Campos e sr. Jorge Kornbluh) e possibilitou a negociação acerca da transferência da documentação do escritor, que se encontrava em posse de seus herdeiros.

Essa negociação chegou a bom termo no final de 2001 (05/12/2001), sendo a documentação oficialmente incorporada ao Cedae, órgão vinculado ao Instituto de Estudos da Linguagem (IEL), depois de uma negociação de quase dois anos entre Unicamp e familiares de Monteiro Lobato em relação ao acervo particular do autor de *Urupês*.

A documentação doada pela família de Lobato em maio de 2001 constitui-se de: convites de casamento; cartas de amor trocadas com purezinha; carta de Oswald de Andrade; cartas de escritores que tiveram obras editadas por lobato; cartas de Érico Veríssimo; cartas de Belmont, ilustrador de Lobato; aquarelas, nanquins, desenhos; fotos de Purezinha; edição de *O Minotauro* corrigida a lápis pelo escritor;

originais de contos sobre Pedrinho; cartas com ilustrações; livros da biblioteca pessoal; foto da festa de formatura da neta Joyce Campos; o primeiro desenho do Saci, feito por Lobato; fotos da campanha do petróleo; reproduções de ilustrações em que são retratados o Visconde de Tremembé – avô de Lobato – e Maria Belmira de França, a avó viscondessa; desenho feito por Lobato, ainda menino, com lápis de cor; foto de um ex-escravo da Fazenda Buquira; pintura reproduzindo a filha Marta ainda criança; carta escrita a Purezinha na solitária; correspondências trocadas com Mário de Andrade; a biblioteca do escritor.

A listagem do material e suas embalagens, depositadas no Cedae, trouxe como volume pertencente à biblioteca do escritor a obra *Orlando Furioso* de Ludovico Ariosto, traduzida por Xavier da Cunha e ilustrada pelo artista Gustave Doré, publicada em 1895 pela Companhia Editora Nacional de Lisboa.

Essa edição do *Orlando* foi catalogada, posteriormente, como produção intelectual de Lobato sob o título (atribuído) *Adaptação de Orlando Furioso de Luigi Ariosto*, apresentando como data de registro "1947?" (com o ponto de interrogação).

Nesse exemplar podem ser percebidas marcas, vestígios e intervenções do escritor e editor Lobato. O escritor e pesquisador Robert Darnton, na obra *O beijo de Lamourette*, revela que "os livros se recusam a ficar confinados dentro de limites predeterminados, eles não respeitam os limites organizacionais" (DARNTON, 1990, p. 124).

Marisa Lajolo, em seu artigo *Monteiro Lobato e Dom Quixote*: viajantes nos caminhos de leitura (2006, p. 7), faz uma breve indicação sobre a presença no acervo lobatiano do volume *Orlando Furioso* de Ariosto – com a caligrafia de Lobato, sugerindo a hipótese de ele ter iniciado a adaptação da obra. De fato, ao folhear as páginas da obra e ler também a correspondência escrita por Lobato, facilmente conclui-se que a letra é da mesma pessoa. As marcas deixadas pela mão de Lobato no volume em questão são indícios, vestígios que, relacionados entre si e com outras informações, nos permitem formar uma imagem una e coerente, isto é, construir significados e pensar sobre o que representa a presença dessa obra no acervo do Cedae (GINZBURG, 1989).

O encontro com Orlando Furioso: *eu e o livro*

Estive por diversas vezes no Cedae em busca do livro *Orlando Furioso*, de Ariosto, traduzido por Xavier da Cunha em 1895. Encontros premeditados, agendados, esperados. Entre preencher o formulário de solicitação para consultá-lo e recebê-lo pelas mãos do funcionário, são criadas expectativas. O que posso encontrar que seja novo, ainda não visto ou não registrado? O que ajustar, completar, confirmar do já visto e registrado? Quantas vezes estarei com ele, manuseando-o com o cuidado que ele merece para não danificá-lo?

Ponho as luvas dadas também pelo funcionário e o levo para a mesa. Eu, em silêncio, observo e me surpreendo mais uma vez com seu volume. Elegantemente, ele se (ex)põe à minha exploração. É um livro de tamanho incomum para aqueles editados atualmente. Largo, aproximadamente 39 x 30 cm, e pesado. São mais de 717 páginas (as páginas das ilustrações não são numeradas).

O livro exige que eu o segure com as duas mãos e que o manuseie apoiando-o na mesa. Não é um livro que se possa segurar de forma vertical, à altura dos nossos olhos. Grande, majestoso, não é uma edição de baixo custo. O papel em que foi confeccionado é o branco brilhante, de espessura meio grossa. As páginas inteiramente ilustradas apresentam papel de seda, protegendo a ilustração. Páginas coladas, costuradas e abraçadas por capa dura. Passo os dedos na lombada (ou dorso) de mais ou menos 5 cm, e sinto os fiapos de pano esgarçados pelo passar do tempo. Nela, o título da obra.

Folhas rajadas em tons esverdeados e amarelos cobrem-no, protegem-no. A primeira página aparece toda coberta por um tom alaranjado. Rasgada, pelo manuseio e pelo tempo, leva-me a pensar: este exemplar pode ter sido adquirido, já usado por Lobato ou está assim porque teve um percurso agitado?! Outros leitores o manusearam, além de Lobato? Quantos e quais leitores? Quantos meses, anos, ele permaneceu fechado? Por quantos e quais lugares foi levado e "deixado"? Tento estabelecer conexões, sendo levado a inventar histórias, a associar um fragmento rememorado a outro.

Na segunda página, amarelada pelo tempo, anotações feitas a lápis por Lobato: "Luiz Ariosto – Réggio – Itália 1474-1533". Monteiro Lobato indica a cidade e o país em que nasceu Ludovico Ariosto, poeta da Renascença italiana e autor do poema *Orlando Furioso*. E também suas datas de nascimento e de morte. No entanto, troca o nome *Ludovico* por *Luiz*. Talvez seja um erro de Lobato. Será que ele confundiu com outro escritor italiano? Ou seria uma estratégia muito à moda lobatiana de "aportuguesar" o nome Ludovico, que vem de Luigi e na língua portuguesa se aproxima de Luiz?

Viro mais uma página, também amarelada; outras marcas mais escuras de bolor; do lado esquerdo, um selo da editora Companhia Nacional de Lisboa e do lado direito, o início da história de *Orlando Furioso*. Não há um prefácio que estimule o estabelecimento de uma relação histórico-literária explicativa. As biografias do autor e do tradutor não são apresentadas.

Nessa terceira página, marcada por manchas de bolor, de aspecto envelhecido, nos surpreende uma dedicatória ao Jurandyr, assinada e datada por Lobato com os seguintes dizeres: "Ao Jurandyr nas vésperas da minha ida p: a Argentina Monteiro Lobato 2.6.946". Por que essa obra que pertence ao Fundo Monteiro Lobato é dedicada a outra pessoa? Teria sido presenteada por Lobato, e depois pedida de volta? Joyce Lobato Campos, ao entregar os documentos referentes a seu avô, Lobato, teria, sem perceber, incluído uma obra da biblioteca de seu pai, Jurandyr Ubirajara de Campos?

De acordo com os catálogos da editora Brasiliense (SACCHETA, 1997, p. 353), no decorrer dos anos de 1940 a 1945, Lobato entregou nas mãos de seu genro, Jurandyr Ubirajara Campos, a coleção completa de suas obras infantis, para que ele as ilustrasse.

Cassiano Nunes, em sua obra *Monteiro Lobato*: o editor no Brasil (2000, p. 25), informa que Lobato, depois de concluir a revisão de sua Obra Completa, em 1946, pediu ao seu genro que acompanhasse o processo de editoração que seria realizado pela editora Brasiliense.

Talvez Lobato quisesse incorporar o *Orlando* a sua Obra Completa. Será que, diante do desejo de viajar o mais rápido possível para a Argentina,[3] Lobato não entregara nas mãos de Jurandyr o compromisso de editoração do Orlando Furioso para os leitores brasileiros? No entanto, sua Obra Completa foi publicada pela editora Brasiliense, em 1946, sem *Orlando Furioso*. Em 1947, Lobato regressou da Argentina, falecendo no dia 4 de julho de 1948.

No manuseio rápido ("Cuidado para não estragar!"), vejo muitas intervenções feitas por Lobato, tanto no texto verbal quanto nas ilustrações, especialmente nas primeiras 42 páginas. São traçados circulares ao lado do texto, que parecem indicar trechos importantes; riscos perpendiculares, indicando possíveis cortes; páginas inteiras riscadas, por exemplo, da 31 a 33, que provavelmente seriam excluídas em uma possível publicação lobatiana.

A obra foi traduzida em prosa, e incluída no gênero *romance cavaleiresco*, substituindo-se o tom poético de Ariosto pela narrativa (prosa) – informação que obtive muito tempo depois, ao encontrar a análise de *Orlando Furioso* feita por Pedro Ghirardi (2004).

Entre os capítulos há imagens. Uma abertura pictórica do que será narrado ou um resumo do que já aconteceu. Essas imagens parecem orientar o leitor para a compreensão do texto que se seguirá.

Acompanhando o texto verbal, várias imagens ocupam lugares diferentes na página (em cima, em baixo, ao lado) e têm tamanhos distintos (ocupam toda a página, meia página, ou apenas acompanham o texto). As ilustrações de página inteira são cobertas por um papel de seda.

A tradução, no entanto, apresenta erros crassos de revisão e de impressão, alguns apontados na antepenúltima página da obra e outros ignorados pelo revisor, mas percebidos pela leitura criteriosa de Monteiro Lobato, que, na página 467, escreve um resumo das pá-

---

[3] Desde 1941, quando foi perseguido pelo Dops, Lobato já havia manifestado o desejo de ir para a Argentina. Em 1946, recuperado de uma cirurgia e sem mais esperanças no Brasil, achando que por aqui tudo andava podre e que seriam necessárias inúmeras gerações para reparar o mal feito ao país pela ditadura do Estado Novo, o escritor pensa em exilar-se. A Argentina passa a ser então uma ideia fixa.

ginas 469 e 470, que não foram impressas. Tal resumo[4] permite-nos pensar que Lobato, por meio de outra obra, já havia lido *Orlando Furioso*. Que obra seria? Que edição? Será que leu em português? Em espanhol? Em inglês? Em francês? Em italiano?

Há, ainda, outras formas de intervenção, pode-se dizer, outros vestígios de Lobato no texto de Xavier da Cunha, como a de um "x" em alguns parágrafos. Talvez marcas de leitura, ou escolha de parágrafos com o propósito de dar continuação aos quatro primeiros capítulos.

As últimas páginas de texto trazem Errata e *Collocação*, que indica as páginas onde se encontram as ilustrações de Gustave Doré. Depois vêm as páginas em branco, amareladas pelo tempo, coladas com fita-crepe e a cobrir o fim da obra, como as primeiras páginas fizeram com seu início. A última capa estampa uma imagem que remete a dois cavaleiros com armaduras medievais – talvez Orlando e Rinaldo – e um brasão em toda sua magnitude. Seu tom amarronzado sugere um aspecto de sujo, de envelhecido.

Fecho o livro. Ao olhar para as páginas, assim fechadas, juntas, vejo que ganham um acabamento em tom dourado. Uma descoberta nova. Despeço-me mais uma vez dele. O que importa é ter estado em sua companhia naquele momento. Em volta, o silêncio e o vazio da sala. Eu e o livro. Devolvo-o para a mesma pessoa que o havia entregado a mim e lanço o último olhar sobre a capa. Não foi um olhar de adeus, de alívio! As inquietações continuam a me incomodar!

Quem são as personagens (pessoas) que possivelmente o folhearam, além de Lobato? Quem são as pessoas (personagens) destacadas na capa e na página de rosto? O que faziam no momento em que o livro foi publicado? Quem é a pessoa para quem Lobato dedi-

---

4 "Aqui falta a folha (469/470) que trata da apresentação do rei Astolpho, homem de grande beleza – de Jocundo, outro rapaz bonito que acaba de se casar e de seu irmão Fausto, o rei Astolpho, sabendo do casamento de Jocundo, faz-lhe presente de terras e para conhecê-lo convida-o a visitar o seu reino. Penhorado com o presente, prepara-se Jocundo para fazer a viagem, e a bisca da mulher se põe a lastimar..." (transcrição do resumo feito por Lobato na página 467 na obra *Orlando Furioso*, traduzida por Xavier da Cunha).

ca esse exemplar? Lembro-me das falas do narrador-personagem de *Dom Casmurro* de Machado de Assis, após terminar a reconstrução da casa onde vivera durante a infância: "Aí vindes outra vez, inquietas sombras...?" (MACHADO DE ASSIS, 1999, p. 15).

Intervenções de Lobato na obra

A obra *Orlando Furioso* de Ludovico Ariosto, na edição de 1895, traduzida por Xavier da Cunha, traz grande quantidade de marcas feitas de próprio punho por Lobato, especialmente nos primeiros cinco capítulos, provavelmente, com a intenção de adaptá-la para uma publicação brasileira que atendesse ao público infantil, conforme anúncio feito na obra *Dom Quixote das crianças* pela voz da personagem Dona Benta.

Seria uma forma de aproximação dos dois cavaleiros – Dom Quixote e Orlando Furioso – sonhadores, apaixonados e justos. Personagens de duas obras que fazem parte da cultura humanística e que, talvez, para o próprio Lobato merecessem ser conhecidas pelas crianças, no âmbito de um projeto de educação do leitor para a leitura de clássicos.

A partir das reflexões de Roger Chartier, na obra *A história cultural*: entre práticas e representações (1996), é possível pensar que Lobato deixou marcas de suas *intervenções tipográficas*, resultado das decisões do editor que era, e de suas *intervenções textuais*, decorrentes de suas intenções de adaptação da obra para crianças.

As intervenções tipográficas estão relacionadas, principalmente, com as ilustrações (imagens), pois nelas têm-se seus desejos de seleção (escolha) e de encurtamento. As imagens de Gustavo Doré na obra *Orlando Furioso* traduzida por Xavier da Cunha totalizam aproximadamente 450 e podem ser divididas em três categorias: gravuras horizontais de tamanho mediano, vinhetas e gravuras de página inteira.

Monteiro Lobato acrescentou marcas indicando redução de tamanho em dez das trinta imagens que estão entre os capítulos 4 e 28 do texto de Xavier da Cunha, a saber: um barco em meio a tempestade; Rugiero na floresta de Alcina; monstros de Alcina; Alcina em seu trono de rainha; Alcina; rosto envelhecido de Alcina; Maruges na gruta; monstro que tenta matar Orlando; o rapto de Angélica; e Merlim. Em nove delas, apresenta-se proposta de redução para 11 cm e, nas outras três, para 4 cm.

Talvez essa redução para tamanhos diferentes, proposta por Lobato, estivesse relacionada com sua experiência na organização das ilustrações de outras adaptações que fizera para o mercado infantil – como *Dom Quixote*, de Miguel Cervantes, e *Viagens de Gulliver*, de J. Swift, entre outras – ou mesmo com a quantidade de folhas do impresso – as ilustrações, como o texto, deveriam ocupar espaço menor em um livro com menos páginas.

A escolha de Lobato parece seguir o caminho determinado pelo enredo, pois as ilustrações selecionadas estão diretamente ligadas aos textos que as circundam. As imagens revelam os monstros, os perigos do mar, as tempestades, as feiticeiras, os desejos idílicos e bucólicos, as aventuras e os encontros amorosos. Esses temas estão relacionados com as personagens principais: Rugiero, Orlando, Reinaldo, Angélica, Bradamante e Alcina.

Em uma obra infantil a imagem é tão importante quanto o texto e as linguagens iconográfica e textual dialogam entre si, provocando sentidos no leitor. Pode-se pensar que o leitor infantil gosta de se aventurar pelo texto e acompanhar a narrativa pelas imagens. Monteiro Lobato, sabendo disso, cuidava das duas linguagens nesse seu provável novo projeto editorial.

Maria das Dores Soares Maziero, em sua dissertação *Mitos gregos na literatura infantil: que Olimpo é esse?* (2006, p. 99), aponta que as ilustrações contribuem para completar esteticamente o sentido, pois ajudam a compor o contexto da obra.

É de se indagar por que essas e não outras ilustrações trazem anotações de Lobato. São as mais importantes ao enredo? A proposta de redução de tamanho está relacionada com a importância da ilustração, com o enredo ou com o projeto editorial? Será que essas anotações são comentários, apreciações que marcam a leitura de Lobato, ou indicações que o ajudariam na publicação da obra para as crianças?

Ou ambas? Ele está expressando sua opinião sobre as imagens, ou escolhendo algumas para acompanhar o texto adaptado, orientado, no entanto, pelo que considera interessante para seu público leitor?

No quarto capítulo, precisamente na página 43, Lobato faz a primeira intervenção tipográfica ao marcar na gravura horizontal, de tamanho mediano, uma redução para 11 cm. Essa ilustração remete à imagem de um navio em meio ao oceano, enfrentando uma tempestade. Possivelmente é uma construção/"transcrição" imagética dos parágrafos 30 a 42 do mesmo capítulo.

Nesse capítulo, Orlando tem um sonho premonitório que lhe adverte do perigo que corre Angélica e, disfarçado, abandona o exército de Carlos Magno em busca de sua amada. Durante seu caminho, tem notícias de que Angélica está presa na região de Ebuda[5] e rapidamente embarca para lá. Não há como deixar de comentar a força da imagem. Um navio a enfrentar um mar agitado, um céu escuro. Uma imagem que anuncia aventura, perigos. Os perigos enfrentados pelas personagens (Reinaldo, Orlando e Rugiero) em busca de sua amada (Angélica).

Fonte: Ludovico Ariosto, *Orlando Furioso*. Tradução de Xavier da Cunha. Lisboa: Companhia Editora Nacional de Lisboa, 1895.

Gustave Doré

---

5   Ebuda é nome da ilha onde vive Alcina e que, segundo alguns viajantes, se situa perto da costa do Japão e, segundo outros, no Caribe. Trata-se de uma ilha grande, do tamanho da Sicília, com floresta luxuriante: bosques de loureiros, palmeiras, cedros. Murtas e laranjeiras lançam sua sombra sobre as colinas e campos. A fauna é escassa: lebres, coelhos, cervos, cabras e alguns monstros. A situação política é um tanto complexa. Após a morte do rei, sua filha legítima, Logistilla, herdaria o trono. Porém, o rei tinha mais duas filhas com outra mulher, Alcina e Morgana, ambas instruídas na ciência da feitiçaria. As duas lutaram contra Logistilla e lhe deixaram apenas uma estreita faixa de terra entre um grande golfo e um monte escarpado. Alcina satisfazia sua luxúria, trazendo para a ilha inumeráveis amantes, que depois transformava em pedras ou plantas. Ela comandava um exército de monstros masculinos, femininos e hermafroditas – centauros, homens--gatos, homens-macacos e homens-cães – e, com sua magia, construiu uma cidade esplêndida, capital da ilha, cercada por uma imensa muralha de ouro, e um palácio, provavelmente o mais lindo e alegre do mundo (MANGUEL, 2000, p. 14).

São várias as intervenções textuais feitas, a lápis, por Lobato no texto de Xavier da Cunha: redução, simplificação, acréscimos, atualização da linguagem, deslocamento/inversão no posicionamento das palavras, conservação de parágrafos, condensação de episódios (CHARTIER, 1996, 127).

Fragmentos retirados da transcrição da página 5, do capítulo 1, são exemplos ilustrativos do processo de intervenção textual de Lobato, orientado pelo seu olhar de escritor, de adaptador. Neles, podem ser vistos riscos, sinais de parênteses, círculos em palavras, colchetes, flechas, palavras nas margens, em cima e abaixo das linhas.[6] São intervenções que sugerem retiradas de frases, de expressões, às vezes de parágrafos inteiros, com o intuito de encurtar, condensar, como vemos nos parágrafos 26, 34 e 35:

26. Revestiam-lhe o corpo todo armas defensivas, – o corpo todo, com exceção da cabeça. e na mão direita segurava ele o próprio capacete de Ferragudo, aquele que o sarraceno inutilmente se demorara por tão largo espaço a procurar. Dirigindo-lhe n'um tom irado, as palavras que disse ao cavaleiro pagão foram estas: – Perjuro e traidor! porque é que te aflige deixares-me aqui o elmo que há tanto tempo me devias?

34. Faz lembrar <Lembra> uma corça ou uma cabrinha, que, por entre os folheados do bosque em que houvesse nascido, vendo um leopardo estrangular-lhe a mãe, ou matar-lh'a rasgando-lhe as entranhas, fugisse de moita em moita, para longe da fera cruel, tremendo <trêmula> de susto, e no auge da inquietação, cuidando em cada raiz que topa encontrar <ver> as faces do leopardo a devorarem-n'a. <da fera.>

35. E assim prossegue vagueando ao acaso, todo esse dia, toda essa noite, e ainda metade do dia seguinte. Por fim foi dar a um bosquezinho encantador, <delicioso,> bafejado pela frescura de uma suave brisa <por brisa fresca>, <onde dois> dois regatos claríssimos, que lhe deslizam em torno <serpeavam,> conservam <ndo> sempre viçosa a vegetação d'esse lugar aprazível, e, com a linfa a escoar-se brandamente por entre pedrinhas, fazem as delícias de quem lhes escuta o murmúrio. <Julgando-se em segurança naquele encantador retiro, resolve repousar.>

---

6 Nas transcrições foram adotados sinais para indicar as diferentes alterações lobatianas: nono (tachado): supressão; nono (sublinhado): substituição; < > : acréscimo.

São modificações verbais, como, no parágrafo 34, "**Faz lembrar**" por "**Lembra**". Intervenções que produzem outros sentidos com o intuito de se aproximar do vocabulário do leitor, de uma modalidade da língua usada por este e que Lobato pretende alcançar.

São supressões, substituições que incorporam acréscimos para a construção de um comentário do narrador que, por exemplo, no final do parágrafo 35, sugere como a personagem se sente naquele momento, naquele lugar.

A quantidade de intervenções é reveladora de um Lobato laborioso na construção de sua escrita, um obcecado pela busca de um sentido melhor para a palavra, para o texto, de um leitor exigente na busca de uma melhor atualização da linguagem, orientado por uma representação do gosto da criança de seu tempo.

Considerações finais

Todas essas anotações, intervenções e operações realizadas por Lobato em *Orlando Furioso* possibilitam pensar que, provavelmente, embora não tenha sido editada, essa obra estaria mesmo dentro do projeto editorial de Lobato de produzir e reescrever obras clássicas para as crianças no Brasil.

No entanto, entre tantas perguntas e curiosidades, fica mais uma: *Dom Quixote* foi publicado em 1936 e Lobato morreu em 1948, portanto, doze anos se passaram entre a ideia de escrever a adaptação de *Orlando Furioso* e a morte do criador do Sítio. O que teria acontecido para que o projeto anunciado em 1936 não se concretizasse? Teria ele mudado de planos ao longo desse tempo? Será que acabou percebendo que *Orlando Furioso* não daria uma boa adaptação para as crianças? Aí vindes outra vez, inquietas sombras...?

Bibliografia

ARIOSTO, Ludovico. *Orlando Furioso*. Tradução Xavier da Cunha. Lisboa: Companhia Editora Nacional de Lisboa, 1895.

CHARTIER, Roger. *A história cultural*: entre práticas e representações. Tradução Maria Manuela Galhardo. Rio de Janeiro: Bertrand, 1996.

DARNTON, Robert. *O beijo de Lamourette*: mídia, cultura e revolução. Tradução Denise Bottmann. São Paulo: Companhia das Letras, 1990.

GINZBURG, C. Sinais: raízes de um paradigma indiciário. In._____. *Mitos, emblemas, sinais: morfologia e história*. São Paulo: Companhia das Letras, 1989.

LAJOLO, Marisa. Monteiro Lobato e Dom Quixote: viajantes nos caminhos de leitura. 2006.

MACHADO DE ASSIS. *Dom Casmurro*. São Paulo: Ática, 1999.

MANGUEL, Alberto. *Dicionário de lugares imaginários*. São Paulo: Companhia das Letras, 2000.

MAZIERO, Maria das Dores Soares. *Mitos gregos na literatura infantil*: que Olimpo é esse? 2006. Dissertação (Mestrado) – Faculdade de Educação, Universidade Estadual de Campinas, Campinas, 2006.

MONTEIRO LOBATO. *Dom Quixote das crianças*. São Paulo: Brasiliense, 1964.

NUNES, Cassiano. *Monteiro Lobato*: o editor do Brasil. Rio de Janeiro: Contraponto; Petrobras, 2000.

Monteiro Lobato em terras portuguesas

Norma Sandra de Almeida Ferreira[1]

Monteiro Lobato tem sido reconhecido na história da literatura brasileira não só como um dos maiores escritores de livros para crianças, mas também como editor que ousou em seu tempo.

Estudos (LAJOLO, CECCANTINI, 2008) apontam Lobato como um editor que investe em práticas editoriais, inova nos projetos de seus livros, aposta na publicação das obras em série voltadas a públicos específicos, e

> no que diz respeito à divulgação dos livros, Lobato manteve uma relação de estreita aproximação com o universo da publicidade, desde o início de suas atividades como editor [...] lança mão sistematicamente de propaganda em jornais e revistas, bem como nos próprios livros por ele editados, numa atitude arrojada que escandaliza os puristas. (CECCANTINI, 2008, p. 74)

---
[1] Professora e pesquisadora do grupo ALLE/FE-Unicamp.

Uma das estratégias editoriais recorrentemente utilizadas por ele é a inclusão de referências explícitas às suas obras em falas das personagens ou do narrador, no próprio enredo acompanhado pelos leitores. Em uma composição que mistura realidade e ficção, Lobato tematiza a própria produção e recepção de seus livros, num procedimento que pode ser denominado metalinguístico ou intertextual.

Para Lajolo,

> desde as edições dos anos 1930, as obras infantis de Monteiro Lobato dialogam entre si em quartas capas, subtítulos, notas finais, rodapés ou mesmo no interior dos textos. [...] Metalinguagem e intertextualidade como matéria de criação extravasam dos livros de Monteiro Lobato. (LAJOLO, 2008)

Segundo a autora, tal referenciação da própria obra chega aos limites de uma "metalinguagem editorial: *merchandising*, em linguagem marqueteira contemporânea" (LAJOLO, 2008, p. 22).

Esse é o caso de *Geografia de Dona Benta*, por exemplo. O episódio em que os habitantes do Sítio visitam Macau – cidade de população predominantemente chinesa, mas com um número significativo de portugueses –, é ilustrativo dessa intenção "marqueteira" do autor:

> No passeio principal da cidade, a Praia Grande, passaram a tarde conversando com os meninos, filhos de portugueses, que por ali brincavam. Um deles reconheceu imediatamente o pessoalzinho de Dona Benta.
> – Tu não és a tal Narizinho, neta da Senhora Dona Benta? – perguntou o guri aproximando-se.
> – Sim, sou... Como sabe?
> – Ah, é que temos aqui uma livraria que recebe os livros do Brasil e lá comprei a história das tuas reinações, e as *Caçadas de Pedrinho* e a Aritmeticazinha cá da Senhora Emilinha... Sei tudo de cor...
> – Será possível? – exclamou Narizinho, espantada e contentíssima. – Será possível que até neste fim de mundo as crianças conheçam nossas reinações?
> – Mais do que possível, menina. E se duvidas, poderei levar-te à tal livraria. Verás lá toda a coleção dos teus livros.
> E assim foi feito. O portuguesinho levou-os a uma loja da cidade onde havia todos os livros das reinações.

– E de qual de nós você mais gosta? – perguntou Narizinho.
– Gosto de todos – cá da senhorita Emilinha, cá do senhor Visconde de Sabugosa, do senhor Marquês de Rabicó [...].
Emília implicou-se com o portuguesinho por causa do Tu. Depois que se separaram, ela disse à menina:
– Viu que pedantismo? Tu para lá, tu para cá, e todo cheio de diminutivos – a "Senhora Emilinha", as "reinaçõezinhas"... Gente que fala Tu não me entra. Eu cá sou ali no Você. (MONTEIRO LOBATO, [s.d.] b, p. 170)

Neste fragmento, chamam nossa atenção os modos de que Lobato lança mão para divulgar sua obra e ampliar a recepção das histórias do Sítio do Picapau Amarelo. Primeiro, porque ele cria a autoimagem de um autor reconhecidamente famoso em terras longínquas; depois, porque desafia seus leitores a identificar-se com as personagens da trama, também leitores de sua obra. Além disso, sugere estratégias que animam as práticas de leitura de um leitor familiarizado com os livros: conhecer todas as obras de um autor, sabê-las de cor, ter preferências pelas personagens, frequentar livrarias etc. E, por último, do ponto de vista da construção da linguagem, Lobato explicita a distinção da língua portuguesa entre os países lusófonos e sua opção, como escritor, pela modalidade brasileira como marca da identidade de seu país.

Entre essa construção de uma imagem altamente positiva de aceitação de suas obras tais como são e a projeção que elas possam ter realmente alcançado fora do Brasil, cabem algumas questões: a passagem transcrita do livro *Geografia de Dona Benta* teria uma margem de realidade? Lobato teria sido lido em outros países de língua portuguesa? Seus livros teriam circulado e alcançado tanto sucesso em países lusófonos quanto entre as crianças brasileiras?

Livros escritos por brasileiros para leitores infantis em Portugal

Este texto tem como propósito primeiro identificar a presença em terras portuguesas das obras de Lobato destinadas às crianças. Apresenta parte de uma pesquisa[2] realizada por mim, na qual investiguei a circulação e a recepção, em Portugal, de livros de literatura escritos por autores brasileiros e destinados ao público infantil e juvenil.

Para a identificação dos autores e das obras de literatura à disposição dos leitores portugueses e para o conhecimento do volume dessa produção, foi realizada uma pesquisa de campo na cidade de Faro, no Algarve. Tal trabalho incorporou, além da busca de exemplares de livros em livrarias, sebos e bibliotecas públicas, outras fontes, como manuais didáticos e programas curriculares de Língua Portuguesa destinados ao primeiro, segundo e terceiro ciclos; Plano Nacional da Leitura (Portugal); documentos produzidos pela Fundação Calouste Gulbenkian;[3] Catálogo de Documentação de Escolas do Ensino Básico, Primeiro, Segundo e Terceiro Ciclos, de 1998; Materiais de apoio aos novos programas – língua portuguesa, primeiro, segundo e terceiro ciclos, de 1992 e 1993, além de um em que não constava data.

Para este artigo, especialmente, destaco desse material apenas os documentos que fazem referência ou trazem registrada a presença da obra lobatiana que, de maneira direta ou indireta, foi divulgada ou esteve materialmente à disposição dos jovens leitores portugueses. Interrogo tais documentos, os quais julgo revestidos de valores, representações e interesses que movimentavam a apreciação e a avaliação da produção literária de Monteiro Lobato destinada ao público leitor infantil.

---

[2] Pesquisa de pós-doutorado intitulada *Os livros que aqui circulam, não circulam como lá,* ainda não publicada na íntegra.
[3] Boletins Internacionais de Bibliografia luso-brasileira, de 1960 a 1973, Boletins Informativos/Culturais dos Serviços de Bibliotecas Itinerantes da Fundação Calouste Gulbenkian, de 1958 a 1994; Relatórios Anuais da Fundação Calouste Gulbenkian, de 1960 a 2003; Recensões Críticas da Comissão de Leitura desde 1960, que podem ser acessadas no Rol de Livros da Fundação Calouste Gulbenkian (http://www.leitura.gulbenkian.pt/index.php?area=rol).

Uma obra sobre Lobato

Nas visitas às bibliotecas públicas – escolares e municipal – livrarias e sebos na cidade de Faro,[4] não foi localizada nenhuma obra escrita por Monteiro Lobato e dirigida ao público infantil. Porém, na Biblioteca Municipal de Faro, um livro me chamou a atenção. Trata-se da obra intitulada *Um personagem chamado Pedrinho: a vida de Monteiro Lobato para os alunos lerem e os professores também*, escrita por Sidónio Muralha[5] e publicada no Brasil pela editora Melhoramentos.

Como o próprio título anuncia, trata-se de uma obra que pretende apresentar a biografia de um autor, Monteiro Lobato. O enredo se desenvolve em forma de uma conversa entre um narrador e uma personagem, que é o próprio Pedrinho, criação lobatiana. No diálogo, o narrador – diante do desejo de Pedrinho de conhecer a vida do seu criador – reconta a vida de Monteiro Lobato. Os fatos relatados são apoiados, segundo afirmação do próprio narrador, na leitura feita por ele dos dois volumes escritos por Edgard Cavalheiro.

Nessa perspectiva, Sidónio (re)cria um jogo entre sua personagem, que é e não é o mesmo de Lobato, fala do seu próprio processo de criação – como também do de Lobato –, superpõe tempos e lugares, refaz a história das obras e das personagens lobatianas, conforme podemos ler no trecho:

---

[4] Grande parte da pesquisa se deu na Biblioteca Municipal de Faro António Ramos Rosa e em todas as bibliotecas escolares de primeiro, segundo e terceiro ciclos pertencentes ao Conselho de Faro. Não foram incluídas as bibliotecas das escolas secundárias e as da zona rural. Também foram consultados os acervos de todas as livrarias e sebos dessa cidade, além de algumas bibliotecas escolares, livrarias e sebos de Lisboa.

[5] Como sabemos, Sidónio Muralha, escritor português, morou durante muito tempo no Brasil, tendo criado a editora Catavento e escrito vários livros, até hoje aqui editados. Foi o criador da Coleção Giroflê, que reúne livros de autores brasileiros destinados ao público infantil, entre eles, a primeira edição de *Ou isto ou aquilo*, de Cecília Meireles.

Direta ou indiretamente todos os males partem da injustiça. Lobato foi uma das vítimas desse mal. Mas as crianças, elas lhe fazem justiça, o cercam, o interrogam, o amam. Nunca, em lugar algum, um homem foi tão festejado, tão procurado, recebeu tantas cartas, telegramas, retratos, quanto o escritor Monteiro Lobato. Os jornais escolares têm os títulos mais queridos – "Narizinho Arrebitado", "Lobatinho", "Picapau Amarelo".
– Não havia nada com o meu nome – perguntou Pedrinho.
– Não. Não havia. Mas um dia alguém escreverá.
– Quem?
– Sei lá quem. Talvez eu. Talvez o meu vizinho. Não importa saber quem. Um dia alguém escreverá um livro sobre a vida de Monteiro Lobato às crianças e você estará presente na capa.
– Nossa! Qual será o título do livro?
– Um personagem chamado Pedrinho. (MURALHA, 1970, p. 31)

É interessante olhar para alguns procedimentos intertextuais criados por Sidónio Muralha, nesse fragmento. Eles muito nos lembram aqueles usados pelo próprio Lobato em seus livros. Tal como o autor biografado, o narrador-personagem mistura realidade e ficção, "ensina" a uma criança curiosa, em um texto recheado de diálogos, fatos e pessoas que fazem parte da história. Tal qual Lobato, Sidónio Muralha tematiza seu processo de criação da obra nas páginas que o leitor lê.

Nesse trecho, podemos ainda perceber um outro aspecto já citado e retirado de *Geografia de Dona Benta*. Novamente é construída no interior da narrativa a imagem de Lobato como um autor que recebeu em vida carinho e reconhecimento, especialmente das crianças que o liam.

Mas quanto desse reconhecimento enfatizado no desenrolar das próprias histórias pode significar um real interesse por parte dos leitores portugueses? O que pode significar a presença dessa obra de Sidónio Muralha no acervo daquela biblioteca, na perspectiva da recepção da obra lobatiana em Portugal? Seria ela representativa do reconhecimento da obra de Monteiro Lobato pelo público português? Como explicar que nenhuma obra escrita por Lobato e destinada ao público infantil tenha sido encontrada em minha busca pelas bibliotecas, sebos e livrarias? Como explicar essa deferência carinhosa a Lobato em uma obra escrita por Sidónio, renomado escritor português?

Conforme acusa registro na capa do exemplar, trata-se de uma publicação da editora Melhoramentos, ano 1970.[6] O carimbo da Biblioteca de Faro não traz a data de aquisição e é de se supor que o exemplar não tenha sido adquirido intencionalmente pelos responsáveis pelo acervo dessa biblioteca. Provavelmente, trata-se de uma doação de alguém que possa ter percebido a importância do exemplar, que traz na sua página de rosto a seguinte dedicatória, em letra cursiva: "Para o querido Assis Esperança – com admiração e amizade – este livro moldado na linguagem brasileira e um grande e sincero abraço". A mensagem, que também não traz data, nem local, vem com a assinatura de Sidónio Muralha.

A dedicatória sugere mais um gesto de amizade entre dois reconhecidos autores na sociedade portuguesa do que propriamente um possível interesse, em algum momento, pela biografia de Lobato ou a informação de que as obras impressas de Lobato estivessem à disposição, de forma mais sistemática e intencional, para o público infantil português.

Um outro aspecto nos chama a atenção nessa dedicatória: Sidónio destaca o fato de que o livro está "moldado na linguagem brasileira". Talvez isso seja um indício da relação entre a produção cultural brasileira e a portuguesa, no campo da criação e da recepção. Sidónio, tal como Lobato, por exemplo, nessas obras citadas, parece deixar marcada sua opção pela modalidade brasileira no processo de criação de novas histórias. Um e outro ressaltam a distinção entre o português de Portugal e o usado no Brasil, como uma opção dos autores no momento da escrita, opção que vale a pena ser explicitada.

---

6 Esta pesquisa apontou também uma significativa atuação da editora Melhoramentos em Portugal, a qual teve, inclusive, uma sucursal nas décadas de 1980 e 1990, em Lisboa.

Até que ponto essa insistência na escrita de uma língua portuguesa do Brasil, intencionalmente assumida em oposição à escrita portuguesa, pode ter sido um empecilho para a entrada de Lobato em países lusófonos, especialmente em Portugal?

Lobato e os leitores das bibliotecas Gulbenkian

A ausência de exemplar da obra escrita por Lobato para o público infantil à venda em sebos ou livrarias ou para empréstimos nas bibliotecas, em Faro[7] levou-me a procurar em fontes impressas algum registro que pudesse indiciar uma possível circulação da produção desse autor pelas terras portuguesas.

Como sabemos, a Fundação Calouste Gulbenkian exerceu papel significativo com seus Serviços de Bibliotecas Itinerantes/ Serviços de Bibliotecas Fixas/ Serviços de Bibliotecas e Apoio à Leitura, que funcionaram de 1957 a 2001, na validação, consagração e divulgação de livros de literatura e de seus autores – principalmente os portugueses, mas também, em menor quantidade, os brasileiros – por todo Portugal. Com a intenção de levar livros a populações das mais isoladas regiões de Portugal, em uma época, segundo a própria entidade, de "atraso cultural do país" (BOLETIM CULTURAL, 1993), a Fundação pôs em circulação um projeto de leitura pública moderna, com serviços gratuitos para todos, incluindo empréstimo domiciliar e o livre acesso às estantes (MELO, 2002).

Para a composição dos acervos dessas bibliotecas, a Fundação criou uma Comissão de Aquisição que se encarregaria de adquirir, a cada ano, uma quantidade de livros previamente indicados pela Comissão de Leitura como "muito recomendável" ou "recomendável".

---

[7] Foram encontrados 59 títulos diferentes de obras brasileiras destinadas ao público infantil, sem contar exemplares que se repetiam pelos espaços destinados aos livros ou em um mesmo local, na pesquisa de campo realizada entre setembro e dezembro de 2007.

Desde a década de 1960 até os tempos atuais, foram mais de quarenta recenseadores, que avaliaram aproximadamente 30 mil livros e que emitiram pareceres que podem ser acessados no Rol de Livros, pela internet.

Os recenseadores dos pareceres emitidos pela Fundação Calouste Gulbenkian são pessoas socialmente reconhecidas como intelectuais da sociedade portuguesa – em especial críticos e autores de obras literárias. Convidados a fazer parte dessa Comissão, eles se tornam mediadores entre livros e leitores, elegem o que merece ser lido, censuram, consagram ou divulgam aquilo que consideram de valor estético e formativo, de acordo com a representação que têm dos leitores a que a produção se destina.

Mais do que emitir opiniões e críticas, esses pareceristas ocupam um lugar social que lhes atribui legitimidade, competência e credibilidade em relação àquilo que dizem e pensam. Ocupam simbolicamente um estatuto e uma posição institucionalizada, responsável por identificar o que pode ser considerado literatura, no interior de uma produção cultural de determinada sociedade e tempo. Eles partilham de configurações sociais e conceituais incorporadas, as quais permitem que a realidade seja inteligível para eles, ganhe sentido de alguma forma, e que seus discursos sejam imbricados com a posição que ocupam.

Nessa direção, os discursos construídos pelos recenseadores podem ser explorados sob as questões: que representações orientam as apreciações sobre a obra de Lobato destinadas às crianças portuguesas? Quais são as representações acerca das relações culturais entre os dois países, dos registros diferentes de uma mesma língua, da literariedade da linguagem, entre outras, que orientam a aprovação ou não das obras lobatianas e que projetam no interior dessa seleção juízos de valor e posições políticas?

Do conjunto de livros escritos por autores brasileiros e avaliados pela Comissão, apenas trinta[8] compõem o *corpus* da pesquisa como um todo. E, desses trinta, um número bem menor é constituído pelas obras de Lobato apreciadas pela Comissão de Leitura da Fundação Calouste Gulbenkian, no período de 1967 a 1985. São eles: *O Minotauro*, *O Picapau Amarelo*, *Aritmética de Emília* e *Robin Hood*, todos publicados pela editora Brasiliense (São Paulo), com exceção de *Robin Hood*, que tem também uma edição pela Melhoramentos (São Paulo).

Lobato recusado, porém divertido

A maioria das obras brasileiras que foram analisadas e recusadas pelos recenseadores para o acervo das bibliotecas da Gulbenkian,[9]

---

8 Um número maior de autores brasileiros pode ser acessado. Porém, na construção do corpus do trabalho, usamos como critério para a identificação das obras destinadas ao público infantil, aquelas que trazem a referência: "para leitores com menos de 14 anos", conforme categoria criada pela própria Comissão. Os autores, com suas respectivas obras e datas dos pareceres localizados, são: Ricardo Azevedo: *O peixe que podia cantar* (16/4/1991) e *Araújo ama Ophélia* (18/10/1994); Ana Maria Machado: *O elfo e a sereia* (21/5/1991); Ziraldo Alves Pinto: *A história do A* (22/9/1992), *Flicts* (11/12/1990), *O joelho Juvenal* (19/1/1993), *A letra do E* (18/2/1992), *Pelegrino & Petrônio* (25/5/93), *Rolim* (18/12/1990); *O menino quadradinho* (5/7/1994), *A história do I que engoliu o pontinho* (17/12/1991); Érico Veríssimo: *As aventuras do avião vermelho e outras histórias* (24/3/1981) e *O urso com música na barriga e outras histórias* (2/3/1982); Jorge Amado: *A bola e o goleiro* (22/4/1986) e *O menino grapiúna* (17/2/1981); Carlos Drummond de Andrade: *Mon éléphant: O elefante* (29/5/1990); Bárbara Vasconcelos de Carvalho: *Uma avenida na floresta* (14/5/1991), *O papagaio Tubiba* (24/3/1992) e *Os dois gatos* (28/5/1991); Lúcia Pimentel Góes: *O leão roncador* (3/1/1992); Monteiro Lobato: *Robin Hood* (30/1/1967 e 8/5/1967), *Aritmética da Emília* (5/2/1985), *O Minotauro* (5/2/1985), *O Picapau Amarelo* (5/2/1985); Lygia Bojunga Nunes: *A bolsa amarela* (19/9/1989), *O sofá estampado* (15/12/1992) e *Corda bamba* (20/12/1988); Stella Carr: *Pedrinho esqueleto* (30/3/1993) e Zélia Gattai: *Um chapéu para viagem* (7/8/1984).
9 Foram localizados cinco pareceres sobre obras infantis de Lobato. Três deles foram considerados "não aceitáveis": *Aritmética da Emília*, *O Minotauro* e *O Picapau Amarelo*, todos em 5/2/1985. Dois outros pareceres são sobre *Robin Hood*, um escrito por Maria João Vasconcelos, em 30/1/1967, e outro por Patrícia Joyce, em 8/5/1967, considerados "recomendáveis".

o foi pelo temor de que houvesse a contaminação do jovem leitor português pela modalidade brasileira da língua impressa em livros de literatura. Com Monteiro Lobato não foi diferente. Em um dos pareceres emitidos sobre a obra *O Picapau Amarelo*, de Monteiro Lobato, Natércia Rocha (5/2/1985) escreveu o seguinte texto:

> Reencontrar Monteiro Lobato pode ser um encantamento para o adulto; analisar qualquer volume da sua obra, tendo em vista uma possível presença nas Bibliotecas da F. C. Gulbenkian pode ser um suplício. A obra é muito boa, o texto uma delícia, as situações um deslumbramento. Mas tudo está escrito fora das normas portuguesas de ortografia e de sintaxe. Pode dizer-se que as crianças de hoje fazem largo consumo do material impresso no Brasil, além das produções para televisão. Tanto bastará para que assumamos a responsabilidade de irmos ao seu encontro com textos que, pela sua apresentação, provoquem a confusão na aprendizagem recém-iniciada da escrita e leitura da língua materna? E no caso presente, a recente passagem da espectacular série de televisão, canalizará mais leitores para estes livros. (ROCHA, 1985c)

O texto de Natércia Rocha, que como leitora adulta de Lobato desdobra-se em elogios – "o texto uma delícia", "as situações um deslumbramento", obra "muito boa" –, vem marcado pelo tom educativo e formador do adulto, quando a literatura se presta também à aprendizagem inicial da modalidade escrita de uma língua por uma criança. E ela acrescenta ao parecer:

> Por muito que me custe fazê-lo e até com amargura compreensível em quem, como eu, muito aprecia a obra de Monteiro Lobato, não poderei considerar esta obra, nesta edição, senão como "não aceitável" por razões de ordem pedagógica, dadas as constantes infracções às normas de ortografia e sintaxe seguidas em Portugal e ensinadas às crianças; e a essas crianças nós queremos ajudar e alegrar sem lhes complicar a vida escolar. Faço-o com tristeza, mas não encontro outra solução. (ROCHA, 1985c)

A ideia de que a leitura para crianças deva oferecer a escrita modelar é um forte critério para a censura a Lobato, como também a outras obras brasileiras, como as de Lygia Bojunga[10] e Ziraldo. Aceita-se que o contato com a modalidade brasileira da língua ocorra pela televisão – mal dos novos tempos, impossível de ser banido –, pelas revistas em quadrinhos de editoras de grande circulação, como a Abril, mas não se aceita que um autor, mesmo que reconhecido por sua qualidade literária, possa ser legitimado pela Fundação. Os pareceristas, como guardiões da língua, insistem na forma canônica para evitar a corrupção e a degradação da língua nacional, o perigo à língua materna que um modelo às avessas possa representar. A leitura que contribui para a formação intelectual e cultural da criança deve ser acompanhada de uma formação que lhe dê desenvoltura e correção da linguagem.

Natércia Rocha considera a *Aritmética da Emília* de valor "muito bom", e lamenta, mais uma vez, no texto da recensão que

> "obra de qualidade cuja presença nas bibliotecas se me afigura como "não aceitável" porque o texto segue regras de ortografia e sintaxe que não são as nossas. E mais uma vez lamento que às nossas crianças tenha que ser negado o acesso ao mundo divertido das figuras criadas por Monteiro Lobato. (ROCHA, 1985a)

No entanto, esse temor (tão explicitado) da influência do brasileirismo sobre os jovens leitores não vale para todos os autores brasileiros e nem para todos os pareceristas da Fundação Gulbenkian. Para Jorge Amado e Érico Veríssimo, por exemplo, a crítica a seus

---

10 Dois pareceres emitidos por Natércia Rocha, nos anos de 1988 e 1989 sobre *A bolsa amarela* e *Corda bamba* de Lygia Bojunga Nunes, trazem a aprovação para a aquisição dessas obras para as bibliotecas da Gulbenkian. Para essa mudança diante da produção brasileira, Rocha justifica que se trata de uma autora que ganhou o prêmio Hans Christian Andersen, que tem um estilo desordenado, fluido, marcado de oralidade, de grande força visual, de musicalidade, de colorido vocabulário, próprio de uma linguagem em evolução etc. Mas mesmo com um capital simbólico construído em torno de Lygia, o que parece importar mesmo para sua aprovação é o fato de essas obras estarem publicadas em versão portuguesa, superando os obstáculos erguidos contra a presença das divergências ortográficas, vocabulares e sintáticas que impediam as crianças portuguesas de conhecerem as obras brasileiras. Nessa mesma direção, em relação a *O sofá estampado*, o parecerista António Viana (1988) não recomenda sua aquisição porque a obra conserva a oralidade brasileira, por exigência feita pela própria Lygia Bojunga Nunes.

livros destinados aos leitores infantis tem outro teor. Em *As aventuras do avião vermelho e outras histórias*, o recenseador, Adolfo Simões Muller avalia a obra como "recomendável" e de valor considerado "bom", finalizando seu texto com:

> Poderia fazer referência à necessidade de um maior glossário do que aquele que vem no final do livro. Mas as palavras ou expressões como "bobagens", "ticoticos", "dedo minguinho", "te trago um livro", "não cabo nos aviões", "foram muito sem sorte", "pisava no rabo do gato" etc., etc., devem dispensar hoje qualquer explicação, aos esclarecidos telespectadores infantis dos romances e novelas da T.V. [...] Tá legal! (MULLER, 1981)

Assim, as obras de Veríssimo e Amado, também avaliadas na primeira metade dos anos 1980, trazem a indicação "recomendáveis" e ainda a autorização da quantidade de exemplares que deveriam ser adquiridos para pertencer às bibliotecas Gulbenkian.

Por que esses dois autores são aceitos pelos pareceristas da Fundação Gulbenkian e Monteiro Lobato não o é? Por que alguns pareceristas, diferentemente de outros, são mais condescendentes com o uso da escrita na modalidade brasileira nos livros para crianças?

É visível que um mesmo critério destacado – uso da modalidade brasileira – por alguns pareceristas, como Natércia Rocha, não se sustenta em outros, como Adolfo Muller (1983), Guilherme Castilho (1986), João Maria (1982). Logo, não há uma censura formal e explícita da Fundação sobre o perigo do contato das crianças portuguesas com livros escritos na modalidade brasileira.

No caso de Lobato, as recensões emitidas por Rocha (1985a; 1985b; 1985c;), Vasconcelos (1967) e Joyce (1967) foram decisivas para sua interdição nos acervos das bibliotecas da Gulbenkian. São pareceristas que também recusaram obras brasileiras para crianças portuguesas, em outras situações, guiados por concepções pedagógicas ligadas aos usos linguísticos. Portanto, a restrição vem associada a um grupo de pareceristas convictos de que a qualidade da obra destinada à leitura das crianças não pode levar em conta apenas a literariedade do texto: histórias originais, bem-humoradas, cheias de poesia e fantasia, situações de deslumbramento.

Diferente é a posição de um outro grupo de pareceristas, como Muller (1983a; 1983b), Castilho (1983) e João Maria (1982). Para eles, a presença da modalidade da escrita brasileira, embora destacada nas recensões, é apenas um aspecto, e menor, diante do grande reconhecimento que certos autores têm junto ao leitor adulto. Para esses recenseadores, é provável que a apreciação dos aspectos literários que justifica a recomendação dos livros de, por exemplo, Veríssimo e Amado, seja orientada por algumas relações que estão fora do texto analisado, como o conhecimento sobre as convicções de esquerda dos autores, seu prestígio já legitimado pela crítica literária portuguesa como autores da literatura adulta, ou mesmo uma relação mais próxima, pessoal, amistosa entre aquele que avalia e o que é avaliado. É provável que Érico Veríssimo e Jorge Amado tenham construído um valor simbólico em torno de suas figuras e de suas obras, com diferentes gerações de leitores, em Portugal, bem diferente daquele construído por Lobato.

Lobato reconhecido, mas interditado

Natércia Rocha, que além de parecerista da Fundação Calouste Gulbenkian, é também escritora de livros de literatura para as crianças, conclui nas páginas finais de sua obra intitulada *Breve história da literatura para crianças em Portugal*, que:

> Neste rápido historial não cabem referências a escritores dos países de língua oficial portuguesa e são muitos. [...] Do Brasil, para além de larga e valiosa produção editorial – pouco conhecida e divulgada em Portugal – chegou, no ano de 1982, o primeiro prêmio de H. C. Andersen para um escritor de Língua Portuguesa: nesse ano, foi distinguida a obra de Lygia Bojunga Nunes. Nos seus livros, usando um português exuberante, dinâmico e pictórico que se fala no Brasil, a autora penetra fundo nas angústias e anseios do "crescer" dos leitores para ler o mundo a partir de um passado pequeno e confuso. O estilo de Lygia Bojunga Nunes traz a poesia coloquial e alegria do que cresce e se agita. Problemas ainda não resolvidos – ortografia e outros – deixam desconhecida esta excelente escritora brasileira, tal como Monteiro Lobato, cuja obra só chegou às nossas crianças pela série na televisão. (ROCHA, 1992)

Esse fragmento sintetiza, mais uma vez, alguns aspectos que orientam modos de apreciar e avaliar a produção literária brasileira, quando destinada às crianças. Um primeiro aspecto parece ser o de que a intelectualidade portuguesa conhece e reconhece a produção brasileira voltada para crianças como de qualidade inquestionável e legitimada por outras instituições no mundo, como aquela que é apreciada em outros suportes de textos etc.

Um segundo é que a modalidade brasileira do português é uma variedade marcada pela musicalidade, pelo coloquial, pelo pitoresco, pelo colorido e pela vibração, entre outros traços – sintaxe, ortografia, vocabulário –, porém todos bem distintos daqueles que caracterizam a língua de Portugal.

E, por último, confirma que a recepção de Lobato para as crianças portuguesas foi sempre interditada em razão da opção do autor pela escrita na modalidade da língua usada no Brasil.

Em um dos últimos Boletins Culturais da Fundação Calouste Gulbenkian[11] – o de 1993, intitulado *Outras vozes também nossas* e organizado pela própria Natércia Rocha e por Maria Alberta Meneres –, vislumbramos uma nova representação em torno da produção literária lusófona, incluindo o Brasil. Nele, a cultura portuguesa é celebrada nas sete culturas dos países lusófonos, em uma iniciativa bastante diversa da encontrada na maioria das recensões críticas (já analisadas neste artigo) produzidas pela Fundação sobre a literatura infantil brasileira.

Esse Boletim aponta para uma nova visão a respeito da aceitação da produção brasileira destinada aos jovens leitores portugueses, com o argumento de que

---

11 Como já mencionado, foram consultados, além das recessões críticas, os Boletins Informativos/Culturais da Fundação Calouste Gulbenkian, preciosos documentos que registram a história do projeto político de fomento à leitura desenvolvido por essa instituição. Nesses boletins, que estão disponíveis na internet (http://www.leitura.gulbenkian.pt/index.php?area=boletim), é possível acessar também a lista dos livros adquiridos para os acervos das bibliotecas itinerantes e fixas e excertos de obras e de autores considerados "patrimônios" da cultura portuguesa e de outros países.

nosso idioma terá doravante possibilidade de se desenvolver, crescentes ensejos de se expandir, renovados modos de se afirmar – sob o risco, se o não fizer, de não ser mais que uma periférica língua dos pobres numa arrogante Europa de ricos. (ROCHA; MENERES, 1993, p. 6)

Nessa direção, os textos que abrem esse Boletim – *Editorial* e *Apresentação* – reforçam um desejo de fortalecimento dos *laços de parentesco* e direcionam a visão da Fundação em relação à literatura brasileira não mais como aquela que contamina a língua materna, que tematiza, com predominância, aspectos pitorescos da cultura de um país e que confunde e desencaminha a cabeça da criança.

São mudanças assumidas pela Fundação em relação à produção brasileira (como também em relação à de outros países lusófonos) e orientadas por contribuições de diferentes naturezas: no conceito de língua, como histórica e social; nas concepções de ensino e aprendizagem da escrita como objeto de conhecimento pela criança; nas noções de autoria e de linguagem literária como expressões singulares de uma cultura e nas decisões editoriais que ampliam o mercado consumidor formado por leitores de uma mesma língua, entre outras.

Mas, nesse Boletim, Monteiro Lobato não aparece ao lado de escritores brasileiros, como Clarice Lispector, Elias José, Érico Veríssimo, Pedro Bandeira, Walmir Ayala, Ziraldo, Jorge Amado, Ana Maria Machado, Cecília Meireles, Maria Clara Machado, Jorge de Lima, Carlos Drummond de Andrade, entre outros.

Lobato aceito, mas com restrições

Robin Hood é a única obra de Lobato, entre as demais que compõem este *corpus* de análise, submetida à apreciação em dois momentos distintos e por dois pareceristas também diferentes.[12] Tam-

---

12 Segundo informações dadas na Fundação Gulbenkian, as obras a serem submetidas à apreciação da Comissão de Leitura eram enviadas pelos editores ou autores ou eram de conhecimento de alguém ligado à entidade.

bém é a única que recebe um parecer "recomendável" para ser adquirida e fazer parte das bibliotecas da Fundação, embora não haja qualquer registro de aprovação para compra da obra por parte da Comissão de Aquisição.

No entanto, *Robin Hood*, como criação lobatiana, não pode ser visto de forma autônoma, mas como uma entre inúmeras versões contadas e escritas da lenda do herói inglês fora da lei, que roubava dos reis para dar aos pobres. Mais do que pelo valor da criação do mundo lobatiano, a obra é recomendável porque faz parte do cânone universal, conforme escreve Patrícia Joyce na recensão datada de 8 de maio de 1967:

> É uma versão graciosa e viva do conhecido Robin Hood, de agrado para rapazes de 11 a 12 mais. Uma edição portuguesa exigirá, no entanto, uma cuidadosa revisão à linguagem. Ex: p. 27: quando lhe assentei uma cajadada nas costelas, revidou com uma em minha cabeça e fui ao banho. p. 65: e se agradava do gajo, tudo fazia para que se incorporasse no banho etc, etc.

Também Maria João Vasconcelos, em seu parecer sobre a mesma obra, destaca que "*Robin Hood* é um livro cheio de interesse, com as últimas aventuras do famoso 'fora da lei'. Vale a pena a edição portuguesa, se não houver já uma com o mesmo texto" (VASCONCELOS, 1967).

Nessa mesma direção, a obra *O Minotauro*, considerada uma adaptação dos clássicos, é avaliada como "muito bom" para compor o acervo da Fundação e traz como recomendação feita por Natércia Rocha, quase vinte anos depois:

> Os netos de D. Benta descobrem a Grécia antiga, encontram deuses e heróis, conhecem lendas, são as aventuras já mostradas na série de televisão. O texto cria os mesmos problemas já mencionados nas outras fichas sobre livros do mesmo Autor; a disparidade ortográfica e sintáctica entre as normas brasileira e portuguesas não torna possível a recomendação dessa obra, lamentando contudo que tal aconteça. Não haverá editores portugueses para Monteiro Lobato? (ROCHA, 1985b)

Os pareceres apontam que a permissão da entrada de Lobato nas bibliotecas da Fundação, tanto as histórias criadas no Sítio do Picapau Amarelo quanto aquelas recriadas dos clássicos, vem condicionada à exigência da "tradução", isso se não houver edição portuguesa.

Tal rigor, expresso por aqueles que avaliam a produção brasileira para crianças portuguesas, colabora para que algumas obras de outros autores sejam "traduzidas" do registro na modalidade brasileira para o de Portugal, como é o caso de Lygia Bojunga Nunes e de Ana Maria Machado,[13] como pude ver nos exemplares em circulação nos locais pesquisados. Editoras dispostas a conquistar mercado lançam edições com adaptações e versões adequadas à língua portuguesa de Portugal, alterando a ordem sintática das frases, as regências verbais, o uso informal da modalidade oral e a grafia, dicionarizando vocábulos etc.

Mas não foi isso que aconteceu a Monteiro Lobato, como já comprovamos e como sugere a pergunta de Rocha finalizando seu parecer sobre *O Minotauro*: "Não haverá editores portugueses para Monteiro Lobato?". Parece que a resposta a essa pergunta é negativa. Exemplares de livros de Monteiro Lobato não foram localizados nas estantes das bibliotecas, sebos e livrarias, tampouco na relação de obras adquiridas pela Fundação Calouste Gulbenkian. E ele, embora reconhecido como escritor de significativa qualidade literária por todos os recenseadores que o avaliaram, só chegou às mãos de leitores comuns pelos caminhos oficiais, quando adaptado à versão portuguesa ou de forma fragmentária em publicações que se valem de excertos.[14]

---

13 Na capa dos livros, nos espaços destinados à biografia dessas autoras, lê-se com destaque a referência à premiação concedida pela International Board of Books for Young People, do prêmio Hans Christian Andersen, considerado o Nobel da Literatura infantil e juvenil. Lygia Bojunga Nunes é lembrada como a primeira escritora da língua portuguesa a receber tal prêmio (1982) e Ana Maria Machado como vencedora da edição 2000.

14 Dos 29 manuais escolares analisados, do primeiro ano do primeiro ciclo ao nono ano do terceiro ciclo de escolaridade, de diferentes editoras, publicados no período de 1970 a 2000, foram encontrados apenas três fragmentos adaptados, das obras: *Peter Pan, Emília no País da Gramática* e *O Picapau Amarelo*. Cecília Meireles, por exemplo, autora que aparece em mais manuais, com variedade de níveis de escolaridade, tem 47 poemas registrados.

O Boletim n. 8, da série VI, de outubro de 1986, por exemplo, é uma Coletânea organizada por Adolfo Simões Muller. No seu texto de apresentação, Muller destaca:

> Esta antologia de autores nacionais e estrangeiros traz a ausência de muitos, importantíssimos, sem dúvida. [...] Foi com pena que deixei, entre os esquecidos, [...] os brasileiros: Érico Veríssimo, Cecília Meireles e tantos mais que ficaram no tinteiro. (MULLER, 1986)

Consultando que autores foram selecionados pelo organizador deste Boletim, Monteiro Lobato ali está como o único autor brasileiro lembrado, com um texto intitulado "O senhor de La Fontaine e o Sítio do Picapau Amarelo" (MULLER, 1986, p. 44). É assim que, pela referência a um clássico (La Fontaine), Lobato – na modalidade escrita do português de Portugal – é revestido de outros sentidos para sua entrada nesse Boletim: como um autor que reescreve versões do fabulista, criando humor em torno de uma figura clássica e "sisuda", e não pelas personagens e cenários tipicamente brasileiros.

A biografia que acompanha esse fragmento no Boletim destaca, mais uma vez, o quanto a intelectualidade daquele país lamenta a ausência de Lobato em terras portuguesas. Em texto que ocupa uma página, Muller (1986) ressalta como o escritor "descobre sua grande vocação" de criador de um "mundo maravilhoso, entre o real e o imaginário" e que, em 1948, quando Lobato morreu, era "ainda insuficientemente editado em Portugal".

A recorrência desse lamento dos escritores portugueses (Rocha, Muller, Joyce) sugere que a interdição de Lobato aos leitores infantis foi construída pelas editoras, que não quiseram assumir os custos de uma versão portuguesa da obra deste autor.

Lobato "cria" a sua própria recusa

Mas parece que Lobato criou sua própria recusa. Como sabemos, ele por diversas vezes explicitou nas suas obras, principalmente naquelas destinadas às crianças, um projeto linguístico marcado por uma escrita da língua portuguesa na modalidade brasileira, distinta da de Portugal. Tal distinção, colocada na boca de suas personagens, pode ter contribuído para a sua "exclusão" em território português.

Para Monteiro Lobato, a língua evolui, modifica-se, adapta-se e é (re)criada conforme o tempo e o lugar em que é produzida. A língua varia na pronúncia e nos significados; com ela emergem e caem em desuso vocábulos e expressões. A língua deve ser cuidada, trabalhada, conformada ao gosto e entendimento dos leitores de seu tempo. Não há usos mais ou menos corretos, há usos distintos, para diferentes propósitos, guiados pelas condições de produção da linguagem. Dona Etimologia, personagem do livro *Emília no País da Gramática*, apresenta bem essas ideias lobatianas a respeito da língua.

Em uma conversa com outras personagens do Sítio, Dona Benta responde assim a Narizinho, quando esta compara os usos distintos entre a língua do Brasil (cidade nova) e a de Portugal (cidade velha):

> – Nesse caso, aqui nesta cidade se fala mais direito do que na cidade velha – concluiu Narizinho.
> – Por quê? Ambas têm o direito de falar como quiserem, e portanto ambas estão certas. O que sucede é que uma língua, sempre que muda de terra, começa a variar muito mais depressa do que se não tivesse mudado. Os costumes são outros, a natureza é outra – as necessidades de expressão tornam-se outras. Tudo junto força a língua que emigra a adaptar-se à sua nova pátria. A língua desta cidade está ficando um dialeto da língua velha. Com o correr dos séculos é bem capaz de ficar tão diferente da língua velha como esta ficou diferente do latim. Vão ver. (MONTEIRO LOBATO, [s.d.]a, p.101)

No jogo de autoafirmação política e econômica, escritores de ambos os países envolvidos defendem o uso da língua como expressão da identidade de um povo. Nessa direção, de um lado, os pareceristas (também escritores, educadores) insistem em uma pureza da língua portuguesa e na proteção a suas crianças de um contato perigoso com outras modalidades, numa imagem provavelmente constituída entre colônia e colonizadores. De outro lado, Lobato insiste na autonomia dos brasileiros em ler e escrever em uma modalidade distinta daquela dos que nos colonizaram, numa imagem de um país que se autoafirma e que tem a adoção da mesma língua como expressão de pertencimento a outra cultura, a outro povo.

Assim, Lobato, que defende que a língua historicamente constituída varia conforme o lugar onde é produzida e circula, cria em torno dessa bandeira (e talvez de outras, como irreverência e crítica a valores historicamente impostos) a sua interdição em Portugal. Reconhecido como autor de livros para crianças, precisaria, no entanto, de uma revisão na modalidade escrita de suas obras para circular em terras portuguesas, exigência feita também a Lygia Bojunga Nunes. Sem projeção internacional como "o escritor que mais contribuiu para a difusão da língua portuguesa no mundo" (imagem atribuída a Jorge Amado pelos portugueses)[15], ou sem premiação de instituições legitimadoras (Prêmio Hans Christian Andersen), Lobato parece não ter provocado interesse das editoras em assumir gastos com "tradutores" de suas obras.

Limites impostos a Lobato em Portugal

Os resultados desta pesquisa, sempre lacunares e provisórios, apontam para uma ausência dos livros escritos por Monteiro Lobato no material que circula nas escolas e nas bibliotecas públicas portuguesas. Compreender os sentidos dessa interdição a Lobato exige ainda, de nossa parte, uma pesquisa maior, em busca de novas fontes, de cruzamento de documentos, entre outros procedimentos.

Com os dados que tenho até então, posso afirmar que Lobato foi exaltado pela intelectualidade portuguesa em relação à sua capacidade inventiva e bem-humorada na construção das histórias e de

---

15 Por ocasião da morte de Jorge Amado, diferentes jornais abordaram o fato destacando, entre outros, que ele foi "provavelmente o escritor que mais contribuiu para a difusão da língua portuguesa no mundo". (Ver <http://www.terra.com.br/diversao/jorgeamado/capa_ja.htm>. Acesso em: 7 nov. 2007.)

suas personagens. Porém, teve como maior obstáculo imposto pelas instituições que cuidam do encontro dos livros com os leitores, o temor de que a modalidade brasileira contaminasse a aprendizagem castiça da língua portuguesa, "desensinasse" e confundisse, pela exposição de modelos pouco representativos da língua vernácula, as crianças portuguesas. Lobato é, assim, interditado pela sua opção em fazer um uso singular da língua portuguesa como indicador de pertencimento a uma comunidade distinta da antiga metrópole e como recurso constitutivo de suas obras.

Mas esse critério de censura ou aprovação das obras e autores brasileiros mostrou-se diverso e contraditório, não apenas entre os próprios recenseadores, como também no decorrer do tempo. Érico Veríssimo e Jorge Amado, por exemplo, são "amados" sem qualquer suspeita ou restrição, mesmo quando "criticados" pelo uso da modalidade escrita brasileira em suas obras.

O decorrer do tempo não colaborou para que as obras de Lobato fossem avaliadas de forma diferente. Desde as recensões emitidas na década de 1960 até os Boletins Culturais dos anos 1990, a recepção de Lobato é condicionada à "tradução" das obras para a modalidade portuguesa. Para ele, valeu, durante todo o tempo, a premissa de que os leitores portugueses não poderiam ter acesso às obras escritas em modalidade brasileira.

Enquanto mercadoria vendável que deve gerar lucros, a obra de Lobato não despertou o interesse das editoras portuguesas. Não teve um capital simbólico construído em torno de premiações de academias, não agregou projeto de luta comum entre os dois países, não projetou valores ligados à sociedade portuguesa, não provocou a criação de estratégias editoriais que a colocasse como parte de uma "coleção internacional de grandes escritores". Como produção brasileira escrita de forma peculiar, própria de uma cultura de além-mar, Lobato não conquistou a crítica portuguesa pelos caminhos oficiais das instituições que promovem a leitura em Portugal.

Provavelmente, Lobato gostaria de ter visto sua obra "adaptada" aos gostos portugueses em nome de um alargamento da recepção de sua produção voltada para crianças. Ao lado da defesa de uma escrita em registro linguístico brasileiro – mais próxima do leitor de seu tempo e igualmente marcada pelo lugar em que foi gerada – Lobato sempre defendeu a reescrita de obras para atender a novos públicos, para chegar a outros lugares, para manter vivas as obras.

Quanto teria lamentado o próprio Lobato ao saber que sua obra não atingiu novos e mais leitores porque não encontrou pessoas suficientemente interessadas em dar a ela novas formas!

Bibliografia

JOYCE, Patrícia. Parecer sobre *Robin Hood*, de Monteiro Lobato, em 8 maio 1967. Disponível em: <http://www.leitura.gulbenkian.pt/index.php?area=rol>. Acesso em: 6 nov. 2007.

MARIA, João. Parecer sobre *O urso com música na barriga e outras histórias*, de Érico Veríssimo, em 2 mar. 1982. Disponível em <http://www.leitura.gulbenkian.pt/index.php?area=rol>. Acesso em: 5 nov. 2007.

MELO, Daniel. *A leitura pública no Portugal contemporâneo (1926--1987)*. 2002. Tese (Doutorado) – Instituto de Ciências Sociais, ISCTE--Universidade de Lisboa, Lisboa, 2002.

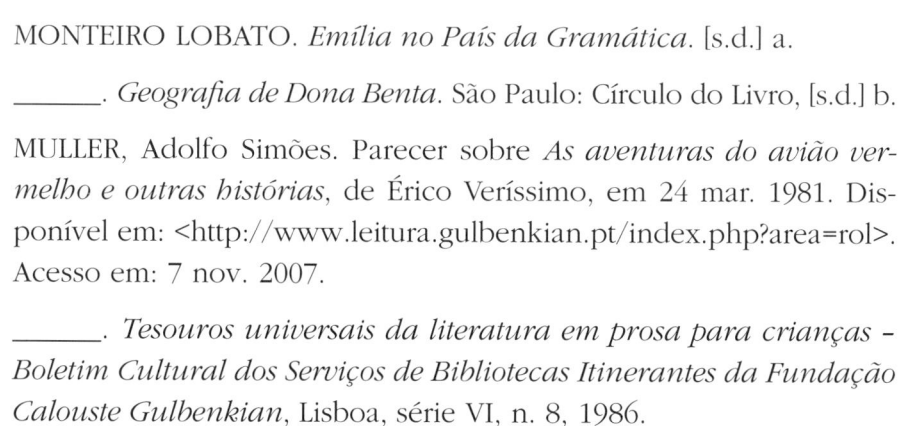

MONTEIRO LOBATO. *Emília no País da Gramática*. [s.d.] a.

_____. *Geografia de Dona Benta*. São Paulo: Círculo do Livro, [s.d.] b.

MULLER, Adolfo Simões. Parecer sobre *As aventuras do avião vermelho e outras histórias*, de Érico Veríssimo, em 24 mar. 1981. Disponível em: <http://www.leitura.gulbenkian.pt/index.php?area=rol>. Acesso em: 7 nov. 2007.

_____. *Tesouros universais da literatura em prosa para crianças - Boletim Cultural dos Serviços de Bibliotecas Itinerantes da Fundação Calouste Gulbenkian*, Lisboa, série VI, n. 8, 1986.

MURALHA, Sidónio. *Um personagem chamado Pedrinho*: a vida de Monteiro Lobato para os alunos lerem e os professores também. São Paulo: Melhoramentos, 1970.

ROCHA, Natércia. *Breve história da literatura para crianças em Portugal*. 2. ed. Lisboa: Instituto de Cultura e Língua Portuguesa; Ministério da Educação, 1992.

_____. Parecer sobre *Aritmética da Emília*, de Monteiro Lobato, em 5 fev. 1985a. Disponível em: <http://www.leitura.gulbenkian.pt/index.php?area=rol>. Acesso em: 7 nov. 2007.

_____. Parecer sobre *O Minotauro*, de Monteiro Lobato, em 5 fev. 1985b. Disponível em: <http://www.leitura.gulbenkian.pt/index.php?area=rol>. Acesso em: 7 nov. 2007.

_____. Parecer sobre *O Picapau Amarelo*, de Monteiro Lobato, em 5 fev. 1985b. Disponível em: <http://www.leitura.gulbenkian.pt/index.php?area=rol>. Acesso em: 7 nov. 2007.

_____; Meneres Maria Alberta (Orgs.). Outras vozes também nossas – Boletim Cultural dos Serviços de Bibliotecas Itinerantes da Fundação Calouste Gulbenkian, Lisboa, série VIII, n. 6, 1993.

VASCONCELOS, Maria João. Parecer sobre *Robin Hood*, de Monteiro Lobato, em 30 jan. 1967. Disponível em: <http://www.leitura.gulbenkian.pt/index.php?area=rol>. Acesso em: 7 nov. 2007.

Impresso por :

Graphium
gráfica e editora

Tel.:11 2769-9056